THE
POWER
TO
SURVIVE

スタンフォード式
生き抜く力

★ ★ ★

スタンフォード大学・オンラインハイスクール校長
星 友啓
Tomohiro Hoshi

ダイヤモンド社

はじめに

◉知っているか、知らないかだけで差がつく！　最先端科学に基づく「生き抜く力」

本書を手に取っていただき、ありがとうございます。

私はスタンフォード大学のリーダーの一人であり、同大学の一部であるスタンフォード大学・オンラインハイスクールの校長をしています。

1891年に設立されたスタンフォード大学は、グーグル、アップル、フェイスブックなど世界を牽引するIT企業がひしめくシリコンバレーの中心にあり、ノーベル賞受賞者やグーグル共同創業者のラリー・ペイジやセルゲイ・ブリンなどの起業家も多数輩出している名門です。

私が本書で伝えたいのは、競争の激しいシリコンバレーで体験した**世界最先端科学に基づく「生き抜く力（=The Power to Survive)」**です。

全世界的に社会構造や価値観が加速度的に変化している今、若者たちはまだ存在しない職業に向かい、会社はこれから現れる新市場に備えなくてはいけません。

社会で暮らす私たち、大人も子どももすべてが、想像しえない次の世界のあり方に備えることを余儀なくされています。

これはコロナショックに始まったことではありません。

もはや、目の前に見える「ゲーム」の攻略法だけでは「生き抜く力」にはなりません。今やっている「ゲーム」自体が明日にはまったく違ったものに変わる。

今の「ゲーム」を自己利益の追求によって運よく勝ち抜けても、すぐに訪れる次のゲームで立場が逆転して痛い目に遭いかねません。

自分のまわりの人とつながり、互いのためになる。人類が進化の荒波を乗り越えてくる中で手に入れた最高の「生き抜く力」を、今こそ改めて見直さなくてはいけないのです。

もしあなたが、次の項目に一つでも当てはまるなら、ぜひ読み進めてください。

● スタンフォードやシリコンバレーの精鋭が**「結果」**を出すためにやっていることを知りたい

- 仕事やプライベートの**「人間関係」**をよくするテクニックを学びたい
- 世界最先端の科学で実証された**「本当の幸せ」**を手に入れたい
- できる人の**「プレゼン」「話し方」「聞き方」**をマスターしたい
- 世界中の天才たちが集まるスタンフォードで結果を出し続ける**「教育法」**を知りたい
- 今後生きていくうえで**「不安」**を解消する方法を身につけたい

本書は、最新科学とビジネス理論を軸に、私の専門分野である哲学と論理学の視点から「生き抜く力」を徹底解剖します。誰でも簡単にできる「エクササイズ」も紹介していきます。本書を読んで、日本人のＤＮＡに刻まれた最高のグローバルスキル「生き抜く力」を開花させましょう。

◉「生き抜く力」のカギは「利他的マインド」だった!?

私の経歴を見ると、「東京大学」「スタンフォード大学」とあるため、エリート街道まっしぐらと思われるかもしれません。でも、まったくそんなことはありません。

今でこそ全米トップ10入りを果たしたスタンフォード大学・オンラインハイスクールの校長をやっていますが、学生時代はアルバイトとギャンブルに明け暮れる日々。就職先も決まらず、挫折感のどん底から逃げるように海外留学を志したのが本当のところです。

とはいえ、アメリカに行くからには、なんらかの成果を出したいと日本では無名のテキサスA&M大学から心機一転、いざスタンフォード大学があるシリコンバレーに乗り込みました。

スタンフォード大学は「世界大学ランキングトップ5」の常連で、世界最高峰の知能が毎日鎬《しのぎ》を削る知の最前線。

まわりには、シリコンバレーのトップIT企業がゴロゴロしています。そんな「決戦」の場で意気揚々に、

「望むところだ。日本人の根性を見せて、勝ち抜いてやる」

と勢い込んでいました。

しかし、そこで私が体験した世界は、想像とまったく違っていました。

スタンフォード大学にきて20年ほど、私がスタンフォードの学術界の巨匠やシリコンバレーのビジネスリーダーから実感してきた「生き抜く力」の源泉は、20年前に自分が思い描いていた「ケンカ上等」でゴリゴリに勝ち上がっていくスタイルとは真逆の、**「利他的マインド」**をベースにしたものだったのです。

本書では、最先端の科学やビジネス理論、哲学・宗教などの多様な視点から、私のこれまでの授業やセミナー、講演を7つの「講義」にまとめました。本書全体が「生き抜く力」を磨く学習プログラムになっています。

第1講では、スタンフォードの最先端科学やシリコンバレーのビジネスから「生き抜く力」の源泉を探っていきます。世界をリードする人材はどうやって生き抜いているのでしょうか。

第2講では、科学やビジネス理論からさらに一歩踏み込んで、哲学や宗教の視点で「生き抜く力」をディープに読み解きます。スタンフォード大学に6000人を集めたダライ・ラマの講演から、ローマ教皇のメッセージ、新渡戸稲造《にとべいなぞう》と武士道、カントとヒュームの思想まで「思いやり」と「生き抜く力」の関係を探ります。

第3講では、「生き抜く力」の基本要素を「聞き取る力」「共感する力」「与える力」の3つに分け、スタンフォード式の「生き抜く力」の磨き方を紹介します。

第4講では、極上のコラボレーション法を解説。フィードバック、感謝、謝罪などを含めた総合的な「コラボ力」を身につけましょう。

第5講では、日本人が苦手とする「自己主張」「プレゼン」などの克服法を考えます。ここでは、人生にもビジネスにも必要な「コミュニケーション力」を手に入れましょう。

私の専門であるギフティッドな子どもたちの教育法にも触れます。

第6講では、苦手な相手との人間関係攻略法を論じます。スタンフォード式「許す力」で天敵を戦略的に思いやる方法を学びましょう。

第7講では、スタンフォード大学・オンラインハイスクールの生徒との対話から「本当の幸せの科学」を追究します。生きがいや幸せを題材に「お金の使い方」や「生きがいの見つけ方」を議論します。

巻末プレミアム・エクササイズでは、科学に裏づけされた最高のトレーニングを一挙公開。多忙な読者にも役立ててほしいので、少し実践するだけで効果が実感できるエクササイズを厳選しました。

本書の内容はスタンフォード大学・オンラインハイスクールでも実際に教えられています。つまり、将来、世界のリーダーになる学生たちが学んでいる内容です。

本書を通して、**最高の生存戦略**「スタンフォード式生き抜く力」を一緒に手に入れましょう。

スタンフォード式生き抜く力――目次

第1講 スタンフォード、シリコンバレーの世界最先端科学と「生き抜く力」

第2講
古今東西「生き抜く力」の思想史

第3講 スタンフォード式「生き抜く力」の磨き方

第4講

【ハーバード×スタンフォード】極上「コラボ力」で最高の人間関係をつくる

第5講
世界の天才たちもやっているコミュニケーション力の鍛え方

著者のつぶやき

第6講
スタンフォード式「許す力」で世界中の〝天敵〟を思いやる

第7講

スタンフォード大学・オンラインハイスクールから実況生中継!

本当の幸せの見つけ方を科学する

巻末プレミアム・エクササイズ

企画協力——長倉顕太

THE POWER TO SURVIVE

第1講

スタンフォード、シリコンバレーの世界最先端科学と「生き抜く力」

★ ★ ★

スタンフォードでビル・ゲイツ夫妻が語ったこと

ビル・ゲイツと妻のメリンダ・ゲイツ[A]

いつもはフットボールのフィールドが、黒いガウンを身にまとい、お祝いの仮装をした生徒たちで埋め尽くされていました。

5万人収容のスタンフォード大学のスタジアムの観客席も、生徒たちの家族や友人でごったがえしています。

卒業のお祝いムードの熱気は、フットボールの試合と同様か、それ以上です。

盛大な拍手の中、式辞のステージに立ったのは、マイクロソフト共同創業者のビル・ゲイツと妻メリンダ・ゲイツ。

2014年の卒業式のゲストが、世界長者番付のトップをひた走ってきた大物実業家夫妻とあって、例年にも増して盛り上がっています。

エンパシーなしのイノベーションでは、意味がない。エンパシーは、イノベーションと同じくらい重要だ。

エンパシーこそ、様々な障害を打ち破り、未来への希望を開拓してくれる力である。[1]

２人のメッセージは、その日のうちにニュースメディアのヘッドラインを飾りました。

グーグル、アップル、フェイスブックなど、世界屈指の企業や名だたる起業家が生まれ、数々のスタートアップ企業が躍進するアメリカカリフォルニア州のシリコンバレー。世界の起業家たちが弱肉強食の戦いを日夜繰り広げているイメージがあるでしょう。

そのベイエリアのど真ん中にあるスタンフォード大学で、世界一の実業家が、世界屈指のスタンフォードの学生たちに伝えた最重要メッセージは、「エンパシー」つまり、**相手の心に「共感する力」**だったのです。

バラク・オバマの「エンパシー負債」スピーチ

その「エンパシー・スピーチ」があった２０１４年から少し遡《さかのぼ》った２００６年６月。当時唯一のアフリカ系アメリカ人の上院議員だった、バラク・オバマがノースウェスタン大学の卒業生に送ったのが次のメッセージです。

この国アメリカでは経済的な負債のことがよく議論される。しかし、もっと議論されるべきは「エンパシー負債」である。……私たちの今生きている文化は、エンパシーの気持ちを削いでしまう。……私は君たちがそうした傾きに流されないでほしい。[2]

バラク・オバマ[B]

この「エンパシー負債」スピーチは、オバマ大統領誕生後、非常に有名になりました。

当時、私はスタンフォード大学の哲学博士課程で論理学の研究者を志す大学院生でした。このスピーチについて知った私の思いはこんな感じでした。

「エンパシー負債」が増え続ける世の中ゆえに、私たちは相手の気持ちをわかってあげながら、思いやりを持って、世界を変えていかなくてはいけない。
そんな気持ちもわかるけれど、多くの人々の実感はちょっと違う。他人を押しのけ

て、一歩前に出なければ成功できない世界だから「エンパシー負債」がかさむのもごく自然だ。

卒業式で未来を背負っていく若者たちに、相手の気持ちをわかってあげることが重要だと伝えたくなるのは理解できるが、あまりに現実とかけ離れている理想的な価値観に聞こえる。

当時の私は論理学の専門をひた走り、論理で科学者も人文学者もなぎ倒しながら、正しい理論を求めて勝ち抜いていこうと、乱暴な熱意にあふれていました。いかに自分の信念を貫きながら、自分を押し出していこうか。合理的で論理的な主張なら、必ず受け入れられるはずだと信じていたのです。

思えば、渡米前の私も、弱肉強食の社会を生き抜いてやろうと躍起になっていました。個人主義と能力主義の強者どもに揉まれながら、どうやったら勝ち抜けるか。生き抜けるか。そんなふうに考えていたのです。

スタンフォードの大学院時代にも、渡米前のそうした「熱血ぶり」が健在だったので、オバマの「エンパシー負債」に特に感銘を受けることはありませんでした。

おそらく、その頃の私が、冒頭のゲイツ夫妻のスピーチを聞いたとしても、間違いなく、胡散臭《うさん》いと思っていたはずです。

しかし、実際に私がゲイツ夫妻のスピーチを聞いたのは、大学院を卒業して何年も経ってからのことで、胡散臭いなどとはまったく感じなかったのです。

それどころか、スピーチの内容に感銘を受けながら、強く納得して、自分の考えに権威ある人物からお墨付きを得たような気分にさえなっていました。

そうやってゲイツ夫妻のスピーチがすっと腑に落ちたのは、大学院卒業後、スタンフォード大学とシリコンバレーでのビジネス体験があってこそのことだったのです。

弱肉強食のアメリカで「モテるCEO」が大切にしていること

私は、博士課程を修了する直前、スタンフォード大学内にオンラインハイスクールを創立するプロジェクトにめぐり合いました。

最初は卒業するまでのアルバイト的な感覚で始めたのですが、気がつけばすでに決まっていた論理学の研究職を投げ捨て、スタンフォード大学・オンラインハイスクールに首ったけになっていました。

数年して学校の経営面を任され、アメリカの学校経営者や教育者だけでなく、シリコンバレーのITエリートたちや、世界の教育界にイノベーション（技術革新）を巻き起こすEdTechの起業家などと触れ合いながら仕事をするようになりました。

オンラインハイスクールのプロジェクトに参加してすぐ、私は強い「違和感」を覚えました。

仕事で出会ったITエリートたちやCEOのビジネススタイルが、渡米前や大学院時代に私がイメージしていたものとはまったく違っていたからです。

異分野でも、競合相手でも、相手の話をじっくり聞いて真摯に理解しようとする。相手の立場に共感しようとエンパシーを最大限に発揮する。

そのうえで、自分の立場を踏まえながらも、相手にできる限りのことをしようと頭をひねる。できることがあればとことんやる。

アップルのスティーブ・ジョブズ（1955-2011）やテスラのイーロン・マスクとしばしば結びつけられるような、カリスマ的独裁者のイメージは少しもありませんでした。

それとは正反対の、謙虚でエンパシーにあふれた利他的なビジネススタイルを体感したのです。

はじめは、胡散臭く表面的と感じ、ダマされないように身がまえていました。

しかし、そうしたビジネス姿勢に頻繁に触れ続けながら自分も恩恵を受けていくうちに、だんだん否定的な心の壁が消えていきました。

エンパシーの効いた思いやりのビジネススタイルが、弱肉強食のシリコンバレーを生き抜く作法の根本にあったのです。

実際、私がシリコンバレーの「生き抜く力」を実感するずっと前から、エンパシーという考え方がアメリカのビジネス界でも大きな注目を集めていました。

多くの有名実業家が「エンパシー格言」を残しているほどです。いくつか見てみましょう。

まずは、アップルのスティーブ・ジョブズの後任ＣＥＯのティム・クックから。

エンパシーと、自分の仕事を切り離して考えろと、説得しようとしてくる人が多い。そんな間違った考えを受け入れてはならない。[3]

サティア・ナデラ
（マイクロソフトCEO）[D]

ティム・クック（アップルCEO）[C]

人に共感する力は仕事に大切なスキルなのです。

マイクロソフトCEOのサティア・ナデラも、ビル・ゲイツの精神を引き継ぐ格言を残しています。

　ほとんどの人が、エンパシーを友達とか家族にだけ当てはまるものだと思っているけれども、実は、ビジネスのプライオリティでもある。

＊

我々のビジネスの本質は、顧客のニーズに関連している。だから、エンパシーがない限り、彼らを満足させることができない。

＊

人を思いやることができなければ、自分のチームに力を発揮させることはできない。だから、エンパシーはすべてにつながるカギなのだ。[4]

ヘンリー・フォード
（フォード・モーター創業者、1863-1947）[F]

マイク・クリーガー（Instagram共同創業者）[E]

さらに、若者に人気のInstagramの共同創業者、マイク・クリーガーも、以下のようなメッセージを残しています。

エンパシーはデザインのプロセスのカギとなる。特に自分の殻を打ち破って、新しい言語、文化、年代などに向かい合ったときに。そうした新しく出会った人たちがほしいものを決めつけてかかると、失敗してしまいがちだ。[5]

ここまで、最近の実業家を例に挙げましたが、エンパシーがビジネスにとって必要なグローバルスキルであることは、昔も示唆されていました。

アメリカの自動車会社フォード・モーターの創業者ヘンリー・フォード（１８６３-１９４７）もこういっています。

もし、成功に何かの秘密があるとしたら、それは他の人の視点を理解して、その視点と自分の視点から物事を見ていく力にある。[6]

相手のことを理解して、その視点で考える力、まさしく「エンパシー」に「生き抜く力」の一つのカギが隠れているというのです。

ジム・コリンズが解明した意外なリーダー像

こうしたエンパシーを重視するビジネス界のリーダーたちの格言は、最近のビジネス理論に共鳴しています。

スタンフォード大学が誇るアメリカのビジネス理論家で『ビジョナリー・カンパニー』（日経ＢＰ）の著者であるジム・コリンズの**「レベル5」**は有名です。

コリンズは、アメリカの経済誌『フォーチュン』に掲載された１４３５社から大飛躍を遂げた11社を厳選し、他の優良企業との差を徹底的に調査。その結果、企業の大飛躍を達成したスーパーリーダーたちに共通していたのは、なんと**「謙虚さ」**だと解明したのです。

スキルや知識、チームワークやチームを引っ張る力、ビジョンやカリスマ。そうした能力は、レベル1からレベル4とされ、リーダーとしてあたりまえの資質とされます。

そうした資質に加えて、人の話をよく聞いて理解し、人の失敗を責め立てず、共感しながら、思いやりにあふれた行動が取れる。エンパシーの効いた「生き抜く力」を持った謙虚なリーダーこそが、アメリカの大企業を牽引してきた**レベル5**なのです。

コリンズの研究は2001年に発表され、大きな反響を呼びました。[7]

それまでは、ブルドーザーのように突き進んで道を切り拓くカリスマ的な強腕CEOがもてはやされていたからです。

しかし、近年、前述の実業家たちの格言にもあったように、エンパシーや思いやりの力がビジネスパーソンの間でも注目されています。本書で紹介するスタンフォード式のトレーニングなどが、全米で人気を博しているのもそうしたトレンドの現れでしょう。

プリンスタイン教授の「人気者の研究」

もちろん、エンパシーや謙虚さは、企業のリーダーだけに必要な「生き抜く力」ではありません。

アメリカの心理学者でノースカロライナ大学チャペルヒル校のミッチ・プリンスタイン

教授の「人気者」の研究が示唆に富んでいます。[8]

人気には2種類あります。一つは、学校での成績やスポーツ、見た目などの社会的評価や名声に基づいた「ステータスの人気」。もう一つは、性格など内面的な理由による「性格の人気」です。

プリンスタイン教授によると、どちらの種類の人気を求めるかが、我々の人生に大きな影響を及ぼすといいます。

「ステータスの人気」を追求しすぎると、アルコール依存や薬物中毒、うつ病、社会的孤立などの健康リスクが増大し、満足のいく恋愛や友人を得る確率も下がってしまうという研究結果が出ています。

一方、「性格の人気」は正反対です。

子どもの頃に「性格の人気」を得た人は、就職率や昇進率が高いことがわかりました。

また、友人や恋人とも長期的な関係を築きやすいこともわかっています。

プリンスタイン教授によると、これまで科学的に根拠づけられてきた「性格の人気」の条件には、以下のようなものが挙げられます。

- **うまくその場その場の状況に適応する**
- **適度に頭がいい**

● いつも機嫌がいい
● 自分のいいたいことを上手にいえて、他の人にも配慮できる
● アイデアが豊富で、交友関係の難しい状況を解決するのがうまい
● みんなの和を乱さない

人のいうことをよく聞き、相手の気持ちを汲み取り、柔軟に対応できる。ここまで見てきたような「生き抜く力」の源泉が、このリストにも重なって見えてきます。

ちなみに、これは単なる人気だけではなく、恋愛感情についても当てはまるようです。

テキサス大学オースティン校のデヴィッド・バス教授は37か国、1万人以上の青年男女に「恋愛相手に求める条件は何か」という質問をしました。すると、37か国すべての国で共通の条件が、**「相手に対する思いやり」**だったのです。[9]

アメリカの大企業をリードするCEOが「モテる」理由は、お金だけではなく、彼らの「生き抜く力」にも秘密がありそうです。

スタンフォードに「思いやりセンター」!?

何度となく脳科学や進化心理学などにおける研究が示してきたことは、「思いやり」がまさに進化の結果生まれた人間の本質であるということです。身体の健康だけでなく、人間の種としての生存にも欠かせません。10年ほど前には少数で、単に興味深い程度だった研究が、今では、科学の一大ムーブメントとなって、私たちの人間観を変えようとしています。[10]

これは2013年、スタンフォード大学「思いやり利他行動研究教育センター」（Center for Compassion and Altruism Research and Education。以下、スタンフォード「思いやりセンター」）の科学ディレクターのエマ・セパーラ博士の言葉です。

行きすぎた利益追求や、思いやりに欠けた自己中心的な行為を、オバマ前大統領は**「エンパシー負債」**と警告しました。

一方、人を思いやることや、相手に与える献身的な行動は、身近なものでもあります。生まれたばかりの赤ちゃんをあたたかく抱擁する母。互いを気遣う家族や友人たち。大災害で困った人たちを救うボランティア。ニュースや映画で痛々しい子どもの貧困に世界の不条理を感じ、手を差し伸べたくなる私たち。

私たちには人を思いやる力があり、利他的な行動にかられる傾向があります。意識しなくても、考え方や感じ方、なんともなしの行動にもそれが表れているのです。

ではなぜ、私たちは人を思いやったり、利他的行動を取ったりするのでしょうか？

近年、この問いに最先端の科学が挑んできました。

そうした研究をリードしてきたのが、**スタンフォード「思いやりセンター」**です。

スタンフォード「思いやりセンター」は、人間の思いやる力や利他性を、心理学、脳科学、医学などの視点から、分野横断的に研究することを目的とした機関です。

なんと、チベット仏教のリーダーであるダライ・ラマの寄付により設立されました。ダライ・ラマとスタンフォード大学の深い関係は第2講でもお話しします。


このような研究機関は、全米でもスタンフォード大学に限ったものではありません。

スタンフォード大学から車で1時間ほどのところにあるカリフォルニア大学バークレー校（UCバークレー）には、「Greater Good Science Center」（以下、「よりよい人生センター」）があります。

私たちの人生に「Greater Good」、つまり「より大きなよいこと」をもたらすために、思いやりやエンパシー、その他の関連トピックを心理学、脳科学、社会学などの視点から科学的に研究する機関です。

こうした研究機関が誕生した背景には、20世紀末に誕生した「ポジティブ心理学」のトレンドがあります。

歴史的に心理学研究は、うつや不安、恐れや怒りといった人間のネガティブな感情にフォーカスしてきました。

しかし20世紀末になって、従来の心理学では研究されてこなかった、喜び、幸せ、感謝、親切、思いやりなどのポジティブな感情が注目されるようになります。

そうした流れは「ポジティブ心理学」と呼ばれ、現在では心理学の一分野として様々な知見を生み出してきました。新たなトレーニング法やセラピーなどの開発も進んでいます。

本書でも紹介する「幸せの科学」はこうした流れから生まれました。

思想史的には、「幸福とは何か」ということが、国や文明圏を問わず古代から考えられてきたわけですが、幸せを科学的な方法で研究していくのが「幸せの科学」です。

プータローから一念発起！紆余曲折の〝哲学者校長〟が見た「生き抜く力」

私は日本生まれの日本育ちです。大学まで日本ですごしました。

1年浪人し、東京大学理科I類に入学しました。しかし、俗にいう燃え尽き症候群になり、勉学はそっちのけ。アルバイトで趣味の料理に没頭しながら、ギャンブルに明け暮れる日々をすごしました。

しかし、理系は積み重ねが大切。徐々についていけなくなり、その頃「都合よく」興味を持ち出した文学ならごまかしがきくだろうと、文学部に転部。しかし、そんな苦しまぎれの思いつきが役に立つはずもなく、うつ状態に陥ります。大学と自分との距離がさらに開いていきました。

そんなプータロー生活が続いていたある日、パチンコ仲間で数少ない東大の友人が私の携帯に「就職が決まった」と電話をかけてきました。

私は純粋に「めでたい！　お祝いだな！」といって電話を切ったのですが、自分の心の声はこうつぶやいていました。

「そうか、就活だよな。ん？　俺も4年生だけど、何もしていない。正直、就活時期だったとは知らなかった。ヤバすぎだな」

ふと我に返り、パチンコ台のガラスに映ったのは、ボーッとパチンコのハンドルを握りながらタバコをふかしている自分。

胸の真ん中をドキュンと撃ち抜く衝撃とポカンとした虚無感。

パチンコ玉はそんな学生崩れを気にも留めずに落ち続け、吐き出したタバコの煙はゆったりとその場に漂います。

空っぽの心に、最初に湧き出した気持ちはこうでした。

「ここにいたらダメだ。このままだ。

日本を離れて一度は志した勉学にもう一度かけてみよう。そうだ、留学しよう」

そこから一念発起し、なんとか東大の哲学科で卒論をえいやと書いて、逃げ出すようにアメリカへ。テキサスA&M大学の修士課程にかろうじて入り、哲学の道を志したのです。

大都市東京からは一転、小さな大学町で勉学と研究に勤《いそ》しむことができました。

アメリカでも哲学を続けるものの、結局、理系の「DNA」に抗《あらが》えず、数学やコンピュータ・サイエンスと哲学などが分野横断的に入り混じる応用論理学の研究をしていきました。

テキサスA&M大学で修士号を取得後、論理学で全米トップのスタンフォード大学の哲学博士課程に入学。そこから、論理学者の道を本格的に歩んでいきました。

東大入学で燃え尽き症候群。理系から文転して哲学の道へ。プータローから一念発起。留学して哲学を志すも、理系に引き戻され、論理学。

本書は、そんな私の「紆余曲折の事情」を最大限に活かして、「生き抜く力」を文系・理系の双方の視点から徹底解剖していきます。哲学と論理の視点から、最新の心理学、脳科学などをふんだんに盛り込んでいます。

さらに、**スタンフォード大学全体のリーダーの一人として、また、スタンフォード大学・オンラインハイスクール校長という経営者**としての経験を踏まえ、シリコンバレーのビジネス空間やスタンフォード大学でかみ締めてきた「生き抜く力」の戦略も紹介していきます。

思いやりが長寿につながる研究報告

さてここで、先ほどの問いに戻りましょう。

なぜ、人間は人を思いやったり、利他的行動を取ったりするのでしょうか？

人に共感しながら親切にすることが、なぜ私たちの「生き抜く力」につながるのでしょうか？

科学が出した答えはいたってシンプル。私たちにとって「得だから」です。

手始めに、「思いやりは長寿につながる」という研究報告を紹介しましょう。

ニューヨーク州立大学ストーニーブルック校のステファニー・ブラウン准教授らによる高齢者に関する研究では、人助けをしている高齢者たちは、人助けをしていない高齢者よりも、長寿になる確率が大幅に高くなることが報告されています。[11]

さらに、インディアナ大学のサラ・コンラス准教授らによると、長寿の可能性が上がるのは、自分に見返りを期待しないで人助けした場合に限られるというのです。自分の名声など、なんらかの自己中心的な目的で人助けをしても、長寿の確率は上がらないのです。[12]

さらに、後ほど紹介するスタンフォード式の「思いやり瞑想」のエクササイズ（↓95ページ）を継続的に続けた人たちは、細胞の年齢に関わる「テロメア」の長さの変化が抑えられることもわかりました。つまり、思いやり次第で細胞の歳の取り方を遅くできるかもしれないのです。[13]

逆に、他人との良好な関係が持続できないと、肥満や喫煙、高血圧の人よりも健康リスクが高くなってしまうことがわかっています。

他人と良好で充実した関係を維持できると、長寿の可能性が50％増大するということです。[14]

こうした研究結果を踏まえ、人助けや思いやりが、なぜ寿命や身体的健康と関連するのかという思索も続けられています。

人を思いやることで、良好な人間関係が築けると、ストレスを感じにくくなります。ストレスを感じると、心疾患や脳梗塞などの様々な病気につながることがわかっています。つまり、ストレスを減少させることで、健康リスクを減少できるのです。いわば、人への献身的な行動は、ストレスを取り除くストレス・リムーバーの役割で「生き抜く力」に貢献しているのです。

ダーウィンとドーキンスが語る「利他的行動」の進化論

実は思いやりのある献身的な行動が、私たちの健康に「得である」ことは、最新研究結果を待たずとも、以前から予測されていました。

共感する力は自然淘汰で増していくものだろう。なぜならば、最も多くの個体が共感し合える共同体は、最も栄えるだろうし、最も多くの子孫を育てることができるか

らだ。[15]

これは『種の起源』を書いたダーウィン（１８０９-１８８２）の言葉です。相手の気持ちになって思いやりのある行動ができたら、進化論的にもその種の強みになり、自然淘汰を「生き抜く力」になるのです。

事実、自分の労力や危険を顧《かえり》みずに仲間を助ける利他的な行動は、人間に限ったものではありません。天敵に気づいた猿が、自分の危険を顧みず、鳴き声で仲間に危険を知らせる。ミツバチが巣を守るために、外敵のスズメバチを取り囲み、自分の命と引き換えに熱を発して殺す。自然界に利他的な行動は無数に見られます。

しかし自然界の利他的行動は、進化論の根本に矛盾しているようにも見えます。動物たちは弱肉強食のサバイバル戦争をしていて、相手を押しのけなければならない。相手に譲ってしまったら、戦いに負け、子孫を残せない。よって、相手に利益を譲るような「能力」は、あっという間に自然淘汰されてしまう。

この「矛盾」のため、利他的行動に関するダーウィンの考え方は、同時代の人たちには受け入れられませんでした。人間などの高等動物の利他的行為は文化的なもので、進化論や遺伝学などの枠組みでは説明できないと一蹴されたのです。

「共感」の脳科学

しかし、20世紀後半に入り、多くの科学者が自然界の利他的な行動を進化論の枠組みで論証していきます。

たとえば、世界的なベストセラー『利己的な遺伝子』では、リチャード・ドーキンスが次のように主張しています。

利己的な遺伝子は、通常は、利己的な行動につながる。しかし、これから見ていくように、特別な場合に、遺伝子が自らの利己的な目的を達成する最善策として、動物の個体レベルで限定的ではあるものの利他的行動を促すことがある。[16]

ドーキンスは、「利他的」行動が、自分自身の増殖の原理に従う「利己的」な遺伝子によって可能になることを主張しました。

つまり、**人を思いやる利他的な力は、進化論的な意味でも「生き抜く力」**の基礎になっているのです。これまで私たち人間の祖先が、長い進化の過程で自然淘汰に打ち克つ中で培《つちか》ってきた最高の生き抜く戦略なのです。

現在の科学では、20世紀の進化論からさらに一歩進み、相手に共感しつつ思いやる力が、脳や体のどんな仕組みによるものなのかという研究も進んでいます。

あなたが誰かに手をつねられ、「痛っ！」と感じたとします。

そのときに活性化する自分の脳と同じ部分が、それを見ている相手の脳内でも同時に活性化することがわかっています。

そのような働きをする脳細胞を「ミラーニューロン」といいます。他人が感じている痛みが鏡に映されたように自分にも起こるというわけです。

これはインチキ哲学ではありません。基礎的な神経科学の知見に基づいています。
ここに幻肢《げんし》を持つ患者がいるとしましょう。腕がなくて幻肢の症状がある場合、誰かの腕が触られているのを見ると、幻肢部位にその触覚を覚えます。そして驚くべきことは、幻肢に痛みを感じたときに他の人の手を握ったりさすったりすると、幻肢である自分自身の手の痛みが和らぐのです。まるで、さすられているところを見るだけでニューロンが安らぎを得ているかのようです。[17]

これは、ミラーニューロン研究の権威、カリフォルニア大学サンディエゴ校神経科学研究所所長ヴィラヤヌル・ラマチャンドラン教授の言葉です。

さらに、見ている人の脳の中で、「扁桃体」も活性化することがわかっています。扁桃体は危険を察知したときに活性化される脳の領域です。さしずめ、危険を目の当たりにしたときに「危なっ！」と感じる脳の反応です。同時に、相手を「助けなきゃ！」と感じるときに働く部位「中脳水道周囲灰白質」も活性化します。

つまり、状況を見ているだけの人も「痛っ！」「危なっ！」「助けなきゃ！」と感じられるように私たちの脳はデザインされているのです。

この他にも、カリフォルニア大学バークレー校「よりよい人生センター」のダッカー・ケルトナー教授らの研究によって「ベガス神経（迷走神経）」といわれる脳と身体中の様々な器官をつなぐ神経が注目されています。

この神経が、共感や思いやりなどの利他的な気持ちと、体内に起こる生理学的な現象を関連づけていることが明らかになってきました。

人のためになることで健康リスクが抑えられるのも、このベガス神経によるものだと考えられています[18]。

このように利他的行動の能力や心がまえは、長い年月をかけて進化の荒波を生き抜き、私たちの遺伝子にプログラムされてきたのです。

人を思いやり、親切な行動を取ると健康長寿になるのは、私たちの脳や体がプログラムどおりに「生き抜く力」を発揮しているからだと考えられているのです。

著者のつぶやき

「自己中」でも「忖度《そんたく》」でも生き抜けない理由

ここまで「生き抜く力」の核となる要素をいくつか見てきました。

相手のことをよく聞いて理解する力。エンパシーで相手の心を感じ取る力。それから、相手を思いやり、献身的な行動を取る力です。


しかし、どうでしょう。

私たちの身のまわりは、それとは真逆の言葉であふれていませんか。


「相手の意見を気にせず、はっきり主張するべき」

「まわりと同じ気持ちに浸っていたら、自分も乗り遅れる」

「人を助ける余裕はない。まわりを押しのけないと戦いに勝てない」

弱肉強食の現代社会。利己的でないと生き残れない現実の中で、私たちは日々生きています。

それと同時に、場の空気を崩さず、まわりからのけ者にされないよう、うまくやっていく同調圧力も強いのが日本社会です。

「周囲との調和を乱さず、過度な自己主張は抑える」
「その場の空気を読むのは現代人に必須な能力。空気が読めない人は能力不足」
「ヘタに目立ちすぎると、出る杭は打たれるから気をつけろ」

このように、私たちの日常には「空気」を読んで「忖度」せざるをえない雰囲気も漂っています。

そうした「忖度」の力は周囲との調和を求める点で、利他的な力にも思えてきます。

しかし、『「空気」の研究』（文春文庫）で山本七平《しちへい》（1921-1991）が喝破したように、まわりの同調圧力に屈することは、自分の利益が損なわれることを恐れた利己的行動で、他人を思っての利他的行動ではないのです。[19]

このように日本社会では、「競争」と「同調圧力」が複雑に絡まり合っています。その中で私たちは日々、利他的なマインドセットから遠のきつつ「エンパシー負債」を積み重ねているのです。

しかし、それがどうしたというのでしょうか。

自己中心的（自己中）に振る舞って生き抜くことができれば、結果オーライではないでしょうか。

この問いの答えははっきりしています。

自己中はまわりだけではなく、自分自身にも悲劇をもたらします。「自己中がダメ」なのは、単なるきれいごとではないのです。自己中ではこれからの競争社会を生き抜くことはできません。

まず、自己中に振る舞うと、まわりの人との信頼関係やチームワークが築けず、無力感と孤立感を深めます。

すると、前述したように肥満や喫煙よりも健康リスクが高まり、寿命さえも縮めかねません。

悪影響は身体の健康だけにとどまりません。自己中だと、不安が高まり、うつになりやすい。自分の感情コントロールができずに、ストレス耐性が弱くなる。さらに、常に監視・評価されているような被害妄想に陥りやすい自己中のもたらす様々な心への悪影響が明らかにされてきました[20]。

自己中心的行動に傾きがちなときは、常にこうした危険性を思い出してください。

では、ひたすらまわりに「忖度」するのはどうでしょうか。

残念ながら、それも解決策にはなりません。

もちろん、「忖度」が常に悪いわけではありません。友人たちとの和を乱さず、人間関係の調和を保つのは大切。「村八分」の一匹狼の人生は悲劇です。

ただ一方で、「忖度」しすぎる危険性にも十分注意しておきましょう。

たとえば、職場で忖度ばかりしていると、イノベーションが生まれにくくなります。違う意見が堂々といえる。多様なものの見方をぶつけ合える。対立を恐れず、妥協点を探る意識がある。そういった職場でこそ、イノベーションが生まれやすいことがわかっています[21]。

また、できる人であればあるほど「忖度マインド」に陥って他人の期待に応えすぎてしまい、悲劇につながってしまうこともわかってきました。[22]

多くの職場は、ごくわずかな「スーパーコラボレーター」に依存しています。

スーパーコラボレーターは、いろいろなプロジェクトやその他の仕事の助言や手伝いに引っ張りだこ。結果、多くの仕事がその人に集中します。

するとプロジェクトが滞《とどこお》り、チーム全体の生産性が落ちます。

それだけではありません。スーパーコラボレーターは出世街道から取り残されてしまい、多忙なうえに上司から評価されず、「コラボ疲れ」で離職するケースも多いのです。

「自己中」に焚きつけられながら「忖度」も期待される。

しかし、どちらに転んでも悲劇が訪れる。

では、どうしたらいいのでしょうか。

答えは、この第1講で見たように、最新科学やビジネス理論にはっきり示されています。

それは、

利他的マインドに基づく「生き抜く力」です。

「自己中」ではなく、相手のいうことをよく聞いて理解する。「忖度」ではなく、心底相手に共感する。そのうえで、相手に献身的な行動を取る。

そうした利他的な行動が「生き抜く力」の源泉にあることは、シリコンバレーや先端科学を待たずして、長きにわたる人類の歴史の中で示されてきたことでもあります。

次の第2講では、本講で論じた科学やビジネスの視点を超えて、さらにディープな「生き抜く力」の思想の世界へ踏み込んでいきましょう。

古今東西、哲学や宗教の視点から、仏教にキリスト教、武士道、儒教、西洋哲学に至るまで「生き抜く力」を見つめ直すことで新たな発見を得ることになるでしょう。

THE
POWER
TO
SURVIVE

第2講
古今東西「生き抜く力」の思想史

★ ★ ★

スタンフォード6000人の聴衆にダライ・ラマが英語で語ったこと

みなさんはやっと今、本当の意味での人生を始めたばかりです。
私はもうすぐ、さようならしなくてはいけないような歳なんだけれども……。[23]

こんなジョークを英語で決めたのは、世界的にも有名なチベット仏教の最高指導者である、ダライ・ラマです。

2010年10月14日、スタンフォード大学の学生など約6000人に向けた講演冒頭、チベット仏教のリーダーが英語でスピーチを始めただけでなく、大勢の聴衆から笑いを取ったのも驚きでした。

雲の向こうの理解しがたい聖なるもの。世界的なスピリチュアル・リーダーだけに、そんなイメージを持っていた私。その感覚が、いかに身勝手な紋切り型の想像だったか。講演を聴き始めた瞬間に気づかされたのでした。

スタンフォード「思いやりセンター」がダライ・ラマの寄付によって創立されたことは第1講で触れました。

スタンフォードとダライ・ラマという驚きのコラボ。これが実現した背景には、ダライ・ラマの世界観にある「生き抜く力」の源泉が深く関係しています。

第2講の「生き抜く力」の思想史の旅は、ダライ・ラマから始めることにしましょう。

講演冒頭から気さくなジョークを飛ばしたダライ・ラマですが、彼の人柄を最も鮮明に表すシーンが講演序盤で飛び出しました。

ダライ・ラマ[G]

講演当日、英語で話すダライ・ラマのために、演壇横に通訳アシスタントが立っていました。ダライ・ラマが少し英語に詰まったときに講演をサポートする役割です。

開始5分くらい経った頃でしょうか。

「さて、今日のレクチャーですが……」

ダライ・ラマが講演タイトルをいおうとしたとき、英語に詰まってしまいました。

その瞬間、アシスタントが、

「思いやりの中心性（Centrality of Compassion）」

といったのがマイクに拾われました。


聴衆の中に、静寂が流れます。

招待講演中に、タイトルを忘れてアシスタントがリマインド？

そんな「ピンチ」の凍りついた静寂を、聴衆６０００人全員が固唾《かたず》を呑んで見守っていました。


すると、ダライ・ラマが沈黙を破ってひと言。


「**いろいろなタイトルで、いくつもの講演をしてきました。**

しかし、タイトルを気取ってみても、私のメッセージはだいたいいつも一緒なんです」


会場は再び微笑みに包まれました。

現代のスピリチュアル・リーダーとしてのカリスマ性がありながら、このざっくばらんな世俗的な感じは何だろう？　宗教も歴史も乗り越えたダライ・ラマの見事な講演に聴衆全員が引き込まれていきました。

実は、この「世俗的」であるということが「だいたいいつも一緒」といったダライ・ラマの講演メッセージの中心部なのです。そのメッセージをまとめると、こうなります。

人間は根本的に社会的な生き物で、それがゆえに、私たちは人を思いやる力の「種」を持って生まれてくる。その力を発揮することが私たちの幸福や社会の繁栄に必要不可欠だ。

特に現代の社会では思いやりが必要とされている。「思いやりが重要」というメッセージを伝えるときに、あれやこれやの宗教の根本的な価値観を持ち出すのが効果的な場合もあるだろう。しかし、世界80億人のかなり多くの人々が無信仰者だ。

特定の宗教だけを押し出しては分裂のもとになる。すべての宗教、ならびに無信仰者の立場を尊重したうえで、物事を考えなくてはいけない。

そのためには、より世俗的に、宗教に頼らない形で「思いやりが重要である」と説得力のある科学的説明をしなくてはいけない。

人を思いやる力の「世俗的なプロモーション」には**科学が欠かせない**。

思想史の中で、様々な文化や宗教によって、脈々と受け継がれてきた「生き抜く力」の根本としての人を思いやる力が、チベット仏教の最高峰、ダライ・ラマによって最新の脳科学や心理学の発展へとつなげられたのです。

ローマ教皇「なぜ彼らであって私ではないのか？」が問いかけるもの

さて「こんな今だからこそ思いやりをさらに重視しよう」というメッセージを送る現代のスピリチュアル・リーダーは、ダライ・ラマだけではありません。

全世界13億人以上の信者がいるキリスト教（カトリック）のリーダー、第２６６代ローマ教皇フランシスコもその一人です。

それは病に苦しむ人だったり、明るい未来を求めて大きな困難に直面している移民だったり、心に地獄の痛みを抱える囚人だったり、職を見つけられずにいるたくさんの若者だったり。

私が人と出会い、耳を傾けるとき、よく抱く疑問があります。

「なぜ彼らであって私ではないのか？（Why them and not me?）」

私自身、移民の家族に生まれました。父も祖父も他の多くのイタリア人と同じく、アルゼンチンを目指して祖国を離れ、着の身着のまま取り残される人々の運命でした。私は、いわゆる今日の「捨てられた」人々と同じ目に遭っても、おかしくありませんでした。

だからこそ、私はいつも心の奥で自問します。

「なぜ彼らであって私ではないのか？」[24]

ローマ教皇・フランシスコ[H]

これは、ローマ教皇フランシスコによる2017年のTED TALKのオープニングの言葉です。

TED TALKは、様々な分野で活躍する人々による短いスピーチで構成される大人気のイベントです。多くのスピーチ動画がインターネットなどで話題を呼んできました。

特に、年一度のTEDカンファレンスは、世界に名だたるアーティスト、起業家、政治家など各界の有名人や注目株が揃った豪華ラインナップを誇ります。

2017年のTEDカンファレンスは、天才起業家イーロン・マスクも出演。目玉の基調講演に、ローマ教皇のビデオメッセージがメインステージを飾ったのでした。

冒頭の締めくくりにある「なぜ彼らであって私ではないのか？」のフレーズは、エンパシー、つまり「共感する力」の重要性を世界中に強烈に呼びかけるものでした。

私だったらどうするか。どう感じるか。何を必要とするか。

そうしたエンパシーの気持ちから、他人を思いやることが必要だと訴えたのです。

このスピーチの中で思いやりの重要性を説きながら、ローマ教皇が引き合いに出したのが、新約聖書の「よきサマリア人のたとえ」です。

イエスが「隣人とは誰のことですか？」と問われたとき、つまり「誰の面倒を見るべきか？」と聞かれたのですが、イエスはこんな話をしました。

ある男が襲われて身ぐるみ剥がされ殴られて道にうち捨てられていました。当時の有力者層だった祭司やレビ人は、彼を見ても立ち止まることなく通りすぎました。

しばらくして、当時非常に蔑《さげす》まれていた民族のサマリア人が通りかかりました。地面に横たわる傷ついた男を見て、そのサマリア人は無視したりはしませんでした。この男をあわれに思い、いてもたってもいられず、行動に出ました。サマリア人は、この無力な男の傷口にオイルとワインを注ぎ、男を宿屋に連れていき、男の治療費を自分で払いました。[25]

これは世界的に非常に有名なストーリーです。

たとえば、様々な国で「よき隣人の法」というのがあります。善意で人を助けた場合に、意図せず問題が起きてしまった。その結果によって罰せられたり、訴えられたりしない。そういう趣旨の法律です。「よき隣人の法」というネーミングは、このストーリーからきています。

ローマ教皇は「よきサマリア人のたとえ」を現在の世界になぞらえます。権力者や富裕層は私たちの社会が抱える目の前の大きな問題に見て見ぬふりをする。しかし、私たちそれぞれが互いに思いやりの心を持って、具体的な行動を取らなくてはいけない。

現在の社会ではエンパシーや思いやり、「共感する力」が最も重要である。

ローマ教皇は、そんな「生き抜く力」のメッセージをTEDで世界中に発信したのでした。

新渡戸稲造の『BUSHIDO』で「慈愛」を逆輸入

「いやいや、ちょっと待ってくださいよ。そりゃあ、宗教家が人助けとか、相手の痛みをわかることの大切さを説くのはあたりまえ。しかし、みんながみんなそう思ってきたわけではないだろう。事実、世界の歴史は争いの歴史。数々の戦争が行われて、国々や人々は争いに勝つことによって、生き抜いてきたのだ」

ダライ・ラマからフランシスコときて、そう考えるのも自然だと思います。

そこでもう少し歴史を振り返り、斬るか斬られるかの武士の世界における「生き抜く力」を見ていくことにしましょう。

「敵に背を向けるのは卑怯《ひきょう》ではないか。戻ってきて戦うのだ！」

この日、平家陣に一番乗りして血気にはやる武将・熊谷直実《くまがいなおざね》（1141-1207）が雄叫びをあげた。1184年3月20日、須磨の浦の美しい海岸は、源平合戦の場と化していた。

熊谷直実（1141–1207）[1]

「仕方あるまい。望むところだ」
と戻ってきた武士を、直実はいとも簡単に組み倒す。
「名を名乗れ。何者だ！」
答えようとしない相手の兜《かぶと》を剥ぎ取ると、10代も半ばの美しい顔の少年だ。
「追っ手がやってくる。今すぐ逃げるのだ」

直実は自軍の援護隊が押しかける前に、その少年を逃がそうとする。

直実には知る由もなかったが、その少年は平清盛《たいらのきよもり》の弟である経盛《つねもり》の子、敦盛《あつもり》（１１６９-１１８４）だった。

逃亡の促しに答えず、敦盛はその場を動こうとしない。それどころか、透き通るはっきりとした声でこういった。

「私とあなたの両方の名誉のためにも、この場で首を取っていただきたい」

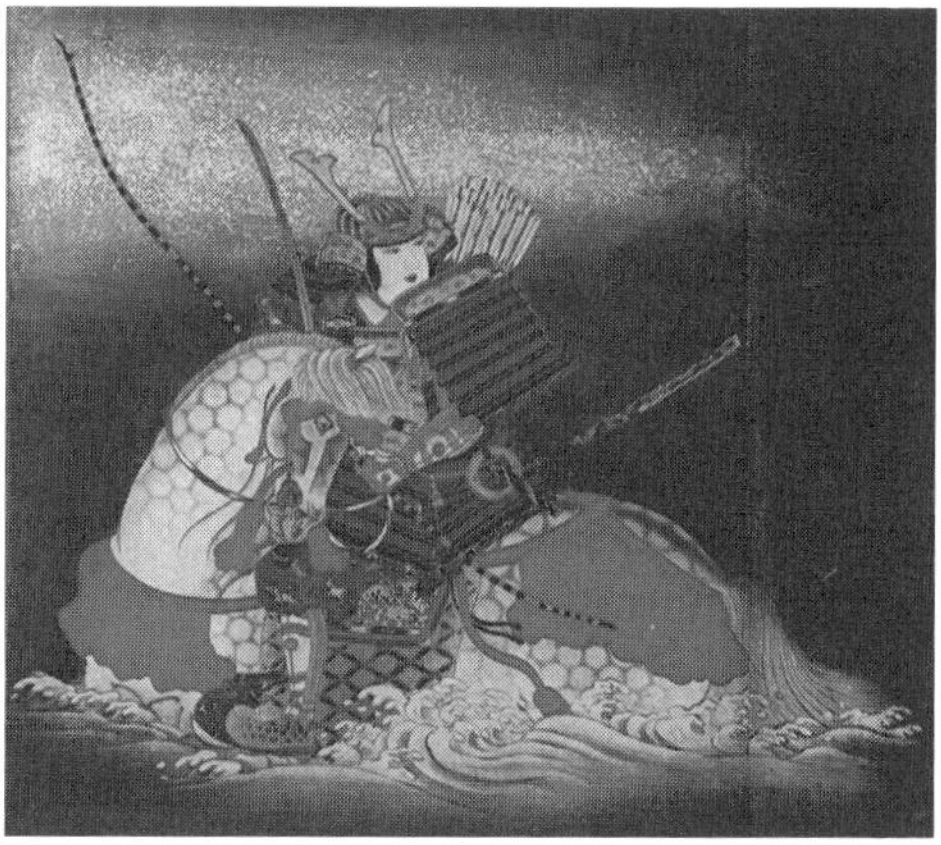

平 敦盛（1169–1184）[J]

援軍の騎馬隊の音が耳元に迫る中、敦盛の意をかき消さんかのごとく、直実が叫ぶ。

「何をいう、早く逃げるのだ！」

いまだ動こうとしない敦盛を見ながら、直実は決断する。

「何者かは知らねども、援軍の無名の兵に首を取られるよりも、武将である自分が供養してやる」

美しい剣の光がすっと降りると、真紅の血しぶきが勢いよく舞い上がり、直実の涙と混じったのであった。[26]

これは源平合戦のハイライトの一つ、一ノ谷《いちのたに》の戦いの名場面です。名のある武将として、窮地に立たされた「無名」の少年を逃がそうとする熊谷直実。逃げ出さない決意とともに相手に功を与えんと首を差し出す平敦盛。命がけの戦場において戦う武士たちの誇りと相手への思いが交錯するヒューマンドラマ。

このシーンを引き合いに出しながら、武士の規律や考え方の根底にある「武士道」の価値観を説明したのは、旧5000円札（1984年から2007年まで流通）にも描かれた、新渡戸稲造（1862-1933）です。

新渡戸稲造は明治に活躍した日本人の思想家です。明治初期にアメリカとドイツに留学し、1900年に英文で『BUSHIDO : The Soul of Japan』（以下、『武士道』）を出版。

明治時代、帝国主義日本が台頭していく中で、日本文化への注目が高まっていた頃、「日本人は宗教なしに道徳をどう学ぶのか？」という外国人の疑問に答える内容で、世界各国で翻訳され、大ベストセラーになりました。

新渡戸稲造（1862–1933）K

「武士道」という言葉自体が、この本によって普及したといわれているほどです。

そもそも武士道は、日本の近世における武士階級の習慣や道徳のこと。武士であるからには、こう生きるべき、こうすべき、こうしてはいけないなど武士階級の常識や習慣が口づてに引き継がれてきたものです。

鎌倉時代には、戦《いくさ》でのベストな戦略や武士として身につけるべき慣習や知恵などという位置づけだったものが、江戸時代以降に儒教や仏教と融合し、思想として体系化されます。

武士制度が廃止されてからの近代日本でも、日本人の思想や文化の重要なバックボーンになりました。

BUSHIDO
THE SOUL OF JAPAN
AN EXPOSITION
OF JAPANESE THOUGHT
BY
INAZO NITOBÉ, A. M., Ph.D.
Author of the "History of the Intercourse between the U. S. and Japan," "Landed Property in Japan," Etc., Etc.
THE LEEDS & BIDDLE CO.
Printers and Publishers
1019-21 Market St.
Philadelphia, Pa.
1900

『BUSHIDO:The Soul of Japan』（『武士道』）

長く欧米文化の中で暮らしてきた新渡戸稲造は、西洋人が日本文化を理解するには、武士道の理解が欠かせないと考えました。世界の宗教や哲学と日本文化を比較し、正義や礼儀、名誉や忠義などの武士道的価値観を徹底解剖して、日本文化に親しみのない世界の人々に発信していったのです。

その『武士道』の中で基礎的な価値観として議論されているのが「Benevolence」、日本語で**「慈愛」**です。つまり、他人の痛みを感じたりいたわったりする心のことです。新渡戸稲造は、その「慈愛」が武士道において最も高次元の「徳」であり、武士にとって一番大切な価値観だと説きました。

私たちになじみ深い「武士の情け」の考え方も「慈愛」に基づいています。

この「慈愛」を説明する際に新渡戸稲造が引き合いに出すのが、先ほどの熊谷直実と平敦盛のシーンです。

武士道において、首を取っていいのは相手の階級が上か、少なくとも同等の力を持った者との戦のときだけ。熟練した武士である熊谷直実が敦盛の若々しい顔を見たとき、自分より力の弱い下級武士とみなし、自分が斬るべき相手ではないと判断したのはそのためです。

一方で敦盛は、平家の血筋の中で「自分のほうが身分が上」ということがわかっていたはず。そのため、直実からの武士の情けは無用。首を取るようにけしかけたのでした。最後に熊谷直実が涙するシーンから、将来ある若者を斬らねばならない痛みも察することができます。

こうして考えると、一ノ谷の戦いのエピソードは、相手への気配りや思いやり、武士道の慈愛に基づく精神があふれ出す名シーンであることがわかります。

生存をかけての殺し合いで相手に譲っている暇はない。ガムシャラに突き進み、迫りくる輩を斬りまくらなければ！　という冷徹な戦を追求する武士のイメージは、慈愛の精神とミスマッチに感じられます。

しかし、武士が命をかけて戦う存在だからこそ、仲間をいたわり、武士階級の秩序を尊敬したりする心が大切なのです。

相手の気持ちや状況を理解し、共感し、与える。

第1講で触れたやさしく利他的な「生き抜く力」は、**武士の生存戦略**として、いつしか武士道の根本精神となって日本文化の根底に流れてきたのです。

さて、武士道で「慈愛」が最も重要な価値観の一つとなったのは、江戸時代に儒教と融合してきた歴史にルーツがあります。

武士道の「慈愛」に誘われて、今度は儒教の考え方に「生き抜く力」の思想的源泉をたどってみることにしましょう。

儒教のルーツ「仁」で敵なしの理由

「仁者は敵なし」という言葉があります。「思いやりがある人は、敵をつくらない」という意味の格言で、儒教における最重要人物の一人、孟子《もうし》（BC372頃-BC289頃）によるものです。

儒教は、紀元前の中国で孔子《こうし》（BC552/1-BC479）によって唱えられ、中国の

孟子（BC372頃–BC289頃）[M]

孔子（BC552/1–BC479）[N]

長い歴史の中で発展してきました。日本も含めた中国内外の地域の思想や文化に大きな影響を与えています。[27]

儒教の核に、「五常」の教えがあります。5種類の徳を重んじる考え方です。

ここでいう「徳」は、人間として追い求めるべきよい性質や心がまえで、道徳の基礎となる価値観です。

その5つの「徳」は、**仁**、**義**、**礼**、**智**、**信**です。

ここで、この5つの徳がイメージしやすいよう、私が数年前に飛行機に乗っていたときのエピソードを紹介しましょう。

搭乗中に後方で「バタン」と音がしたので何だろう？　と私は他の乗客たちと首をかしげました。

少しすると、機内アナウンスが流れました。

「乗客の中に気分が悪い方がいらっしゃいます。お医者様はいらっしゃいますでしょうか？」

その瞬間、「バタン」という音は、気分を悪くした人が倒れた音だったと気づきましたが、私にはどうしようもありません。

すると、数秒も経たないうちに前方からある紳士がさっそうと飛んできました。

客室の暗がりの中でも、なんだか見慣れた顔だとは思ったものの、私の友人だとはっきり認識できたのは、彼が私の座席の真横を通った際に、私のひじにぶつかったときでした。

それは、スタンフォード大学に客員研究員として在籍していた日本人脳外科医の友人でした。

座席から通路を覗くと、彼はもの腰やわらかく、キャビンアテンダント（CA）から話を聞き、倒れた人を看病しているようでした。

いったん患者が落ち着くと、彼はＣＡに何やら話して患者に深々と頭を下げ、自分の席に戻っていきました。普段のチャラいイメージからはちょっと想像できないくらい素敵なお医者様の振る舞いでした。

挨拶がてら前方の席までひやかしにいってみると、なんと先ほどの一件から5分と経っていないのに、ヘッドホンをして眠っていました。申し訳なかったのですが、トントンと肩を叩くと、私が搭乗していることを知らなかったのでとてもびっくりしていました。

「なんてことはない。ただの貧血だと思う」

と一件落着です。

このエピソードで儒教の「五常」を説明していきましょう。

私の友人が機内アナウンスに応じないでまったく行動しなかったとしても、彼が医者であることは他の乗客にはわかりません。患者を看病した後、すぐ寝ていたぐらいですから、相当疲れていたはずです。知らん顔をして座席で寝ていたほうが体力的にはよかったでしょう。

にもかかわらず、人として医師として今やるべきことをやりました。これが儒教の五常でいう**「義」**のイメージです。「義」には、やるべきことがやれる力、正義感という意味合いがあります。

次に、ＣＡや患者へのもの腰やわらかな対応を見ると、「呼ばれちゃったから仕方ない。医者だから手伝ってやるよ」というような横柄な態度は微塵《みじん》もありませんでした。

困っている人に礼儀正しく接するのが**「礼」**に当たります。

それから、友人には医師として患者を看病する知識とスキルがありました。これが**「智」**です。

さらに、自分が医師であることに嘘偽りなく行動し、正しい知識に基づいて患者に適切な診断をしました。嘘をつかずに、事実を述べようとするのが**「信」**に当たります。

「義」「礼」「智」「信」ときて、「五常」の最後が「仁」です。

私の友人は見ず知らずの人が困っているときに、疲れている身を奮い起こして助けに向かいました。**「仁」**は、そうした人を思いやる心がまえに当たります。


この「仁」の徳は儒教における五常の中で最も重要とされています。

「仁」で人を思いやると、融和が保たれ、敵をつくらず、戦わずして勝つことができる。孟子の「仁者は敵なし」という格言は、儒教の最高の「徳」である「仁」の価値観を端的にいい表した名言なのです。

まさに「仁」、つまり**人を思いやる心が「生き抜く力」の根本にある**ことを儒教が教えてくれています。

現代に生きる仏教やキリスト教のリーダーから武士道に遡り、さらに儒教へ。古今東西ディープな「生き抜く力」の思想史を楽しんできました。

クライマックスに、西洋哲学の視点から「生き抜く力」を俯瞰《ふかん》してみましょう。

西洋哲学の王道は感情か？ 理性か？ ヒュームとカントの哲学バトル

ここまで、人を思いやり共感することが、様々な思想や宗教において最重要の価値として位置づけられていることを見てきました。

「慈愛」が武士道の根本にあり、江戸時代の武士たちやその後の日本人の善悪の判断、つまり、道徳のルーツと考えられてきたわけです。

「道徳のルーツ」に関する西洋哲学のメジャーな議論の一つに、感情と理性の対立があります。

これまで見てきた「思いやり」ベースの思想史のように、相手のことを思いやる感情が、

デイヴィッド・ヒューム(1711–1776)。

私たちの道徳感のルーツになると考えた哲学者がいます。

その一方で、「思いやり」などの感情は道徳のベースとはならず、理性や論理的な思考こそが道徳の根拠になるとした哲学者もいます。

感情か？　理性か？

この対比を見るのに、西洋近代哲学を代表する2人の大哲学者、デイヴィッド・ヒューム（1711-1776）とイマヌエル・カント（1724-1804）に登場してもらいましょう。

「理性は情念の奴隷である」

という名言を残したのは、イギリスの哲学者、ヒュームです。[28]

ヒュームは道徳心を人間の感情の働きとして、心理学で科学的に研究する対象だと考えました。

たとえば1日の家事で疲れ果て、ソファーでうたた寝する母親の肩にブランケットをかける子どもを見たとき、「親孝行だ」と感じてなんとなくほっこりするかもしれません。

同様に、まわりの人たちや自分自身にとって心地よい利他的な行為を見ると、私たちは道徳的な肯定感を得ます。

逆に、弱者に暴力を振るう悪党の姿を見れば、ゾッとして怒りを覚え、自分や他人に害を与える行為に対しては道徳的な否定感を覚えるでしょう。

ヒュームは、人間の道徳的な善悪の価値判断は、そうした肯定や否定の感情にルーツがあるのだと考えました。


逆に、ヒュームにとって理性は、私たちの感情が向かう目的に適切に進んでいく手段を見つける道具にすぎません。

あなたが「あの人を慕う気持ちを伝えたい！」と感じたとしましょう。電話して呼び出す。花束を買う。どのように告白を成功させるかなど、合理的に順序立てて考えるのが理性の力です。


一方、いくら理性的に考えても、嫌いな人を好きにはなれません。誰かを好きになって、その気持ちを伝えたいと思うのは感情の働きだからです。

同様にヒュームによると、「困っている人を助けるべき」という道徳的判断も感情の働きということになります。

そのため、どうやって助ければいいかを理性で考えられても、「助けたい」という感情

イマヌエル・カント（1724–1804）P

自体を理性だけで得ることはできない。「理性は情念の奴隷である」というヒュームの言葉は、まさにこの考え方を示しているのです。

論理は感情の求めるところに到達するのをサポートすることしかできない。

ヒュームにとって、私たちの道徳のルーツは理性よりも感情にあります。

人をかわいそうと思い、共感して、助けたいと思う。

そうした思いやりの感情が私たちの道徳をつくり上げるとヒュームは考えたのです。

一方、ドイツの哲学者、カントの道徳に関する考え方はヒュームとは対照的です。

カントは善悪の判断がなんらかの感情に基づいている場合、純粋で道徳的な判断ではないと考えました。

人類が従うべき絶対的で純粋な道徳は、理性によってのみ与えられる。

私たちの道徳観が思いやりなどの感情に基づくものであるとするヒュームの立場と真っ向からガチンコ勝負です。

そのうえで、私たちの道徳的判断は普遍的なルールから理性的に導かれるものだとカントは主張しました。

これが有名な**「定言命法《ていげんめいほう》」**です。

「汝の意志の格律が常に同時に普遍的立法の原理として妥当するように行為せよ[29]」

これがその普遍的なルールの一つです。

ご安心ください。これだけ読んで、わかる人はいないと思います。

このルールを、ざっくりかみ砕くと、

「私たちが行動をするときに、誰もがいつでもどこでも同じように行動してほしいと思えるような仕方で行動しなさい」

となります。

うん？　まだわかりにくい。問題ありません！

カントの主張を理解するため、「ものを盗むことが道徳的に悪である」ことをこのルールから論理的に導いてみましょう。

私があなたのものを盗むとします。そうした行為が成り立つには、あなたがそれを所有していることが前提となります。

しかし、「誰もがいつでもどこでも同じように行動」した場合、どうでしょうか。みんながみんな、いつでもどこでも盗みをしているとしたら、「所有」という概念自体が成り立たないことになります。

つまり、「ものを盗む」というのはカントの普遍的なルールからして論理的矛盾につながるので、道徳的ではないということになります。

これが私たちの道徳が感情ではなく、理性に基づくというカントの主張のイメージです。

感情か？　理性か？

人間の感情は道徳のルーツたりうるのか？　そうでないのか？

ここでは、ヒュームとカントの対比をもとに考えてみました。

西洋哲学を象徴する2大哲学者の対立は、西洋哲学の根底に流れている主要テーマの一つであるといっても過言ではありません。

西洋から始まった近代合理化のもたらした現代社会は、オバマ前大統領がいう**「エンパシー負債」**を抱えるようになってしまいました。

そこでまた、思いやりやエンパシーが、再度注目されているというねじれも、感情か？

理性か？　という論争を繰り返してきた西洋哲学史の移り変わりを映し出しているようにも思えます。

著者のつぶやき

自分の偽善心と一緒に生きる方法

いやいや、ちょっと待て！

「慈愛」だ？　「仁」だ？　「思いやり」に「エンパシー」？

古今東西、最高の価値として考えられてきたといっても何かスッキリしない。

誰だって「自己中」に走るし、日本社会の「同調圧力」の恐怖におびえる。だから、そもそも努力して人を思いやろうとしたところで、単なる偽善なのではないか？


その疑問はごもっともです。

ポジティブ心理学の権威の一人で、ニューヨーク大学のジョナサン・ハイト教授は、著書『The Happiness Hypothesis（しあわせ仮説）』の中で人間の避けられない偽善的な傾向を次のように表現しています。

すべての文化や時代に共通する、最も普遍的な教えの一つは、私たち人間はすべて偽善的だということだ。それゆえ、他の人の偽善を非難すること自体が偽善なのである。

最近の社会心理学者たちは、私たちが自分の目の中に入った大木にさえ気づかないくらい自分に対して盲目的になってしまうメカニズムを明らかにしてきた。[30]

この例に挙げられるのがカンザス大学での実験です。被験者は次のような内容を伝えられます。

問題に正しく答えると、あなたかパートナーのどちらかが、宝くじの報酬を得ます。あなたのパートナーには秘密ですが、どちらが報酬を得るかは、あなたに決めていただきます。どのように決めてもかまいません。パートナーにはあなたが決めたということを伝えず、くじ引きで事前に決めたと伝えます。

ちなみに、使っても使わなくてもいいですが、こちらにコインがありますので。[31]

そう伝えられた被験者たちはどんな行動を取ったでしょうか？

まず、半分の人たちがコインを使いませんでした。

そのうち90％が自分に有利な条件を選びました。パートナーにはバレないのだから、ある意味、賢明でしょう。

興味深いのは、残り半分のコインを使った人たちです。

なんと、コインを使った人たちの90％も同様に、自分に有利な条件を選択したのです。

コインを使った人たちに尋ねてみると、大方は自分たちが公平な決断をしたと確信していました。

それだけではありません。

この実験の数週間前に被験者全員が倫理観に関するアンケートに答えています。

そのアンケートで自分は他人を思いやり、社会的正義感が強いと答えた人たちは、そのとおりコインを使う確率が高かった。しかし、自分に有利な条件を与える確率はその他の被験者と同じだったのです。つまり、人を思いやるといったくせに、実際の行動は正反対だったのです。

まさに、人間の心理に潜む偽善的傾向が浮き彫りにされた結果となりました。

ハイト教授が指摘するように、私たちの行為や信念と偽善を断ち切ることが困難であることは、こうした実験結果を待つまでもなく、人類の歴史の中で理解されてきました。私たちは深く考えれば考えるほど、自分の行為が本当に偽善でないかがわからなくなってしまいます。

私は高校時代、国際基督教大学高校（東京都小金井市）に通っていたのですが、私も含めて全校生徒の多くが無宗教でした。

しかし、「キリスト教概論」という授業の中で、元気のいい友人たちが「どんなよい行いも必ず偽善的な側面がある」ということを力説していたのを思い出します。

募金だってボランティアだって、よいことをすることで結局自分が満たされる。もしかしたら、いいことをしていることをみんなに見てもらいたい虚栄心もあるかもしれない。本当に人を助けたいと思っていても、結局それは自分の満足心につながる。その満足心を求めてやっているのだから、結局は自分のためだ。だから、みんな偽善なんだ。

そうした意見に「偽善だったとして、それが何か？」という反応をした生徒もいました。

仮に偽善だったとして、寄付やボランティアが否定されてはいけない。どんな意図があるにせよ「よい行い」で人を助ければ、実際に助かる人がいる。それはそれでいい。

さらに本書にあるとおり、人を思いやり、「生き抜く力」を磨いていくと、長寿や健康上のメリットもある。それならなおさらそれでいい。偽善的な自分を見つけても、他人にも自分にもいいのだからいいじゃないか。

なるほど、これはなかなかいい答えです。

しかし、それに満足できない人もいました。

偽善をともなう行為自体が悪いことではないにしても、自分の偽善性と向き合うのは嫌だ。偽善で汚れた自分の感覚を持つのが耐えきれない。自分は自己中だと開き直って、正直な自分と向き合うほうがマシだ。

この意見もなかなかの説得力があります。

しかし、自己中が悲劇につながることは第1講でも見てきました。

私たちは、どのように自分の偽善心と向かい合っていけばいいのでしょうか？

偽善的行為が嫌だと感じたときには、すでに偽善心に打ち克つためのステップを歩み始めていると考えてはどうでしょうか。

ハイト教授は、私たちが偽善心と向き合うためには、**自分の行為を意識的に振り返る**ことが肝心だと説きます。

「振り返る」ときには次の点を考えます。

- **自分の取った行動は具体的に何だったか**
- **それをどのようにやったのか**
- **どうして、やったのか**
- **どのような気持ちでやったのか**
- **どこをどう変えれば、自分の行為がよりよいものになっていたか**

自分の偽善心とすでに向かい合っている人たちは、ここにある「どうして、やったのか」の問いかけに対して、すでに「偽善心が一つの理由だった」と自分を振り返っていることになります。

だとすれば、**「どのようにすれば、それが改善されるのか」**を考えることが次のステップです。

たとえばボランティアなら、今まで以上にボランティアをされる側の気持ちやニーズに耳を傾けてみるのもいいでしょう。自己中心的な自分に打ち克つ目的で、自分がやりにくいことをやってみようとするのもいいかもしれません。

こういう自己評価の振り返りは、やり始めはぎこちなく感じたり、恥ずかしかったり、時にはバカバカしくさえ感じてしまうこともあります。

今の心のあり方を新しい方向に向けようとするときには、いつだって違和感を覚えるものです。今ある心の形とは少し違った型に、自分の心をはめ込もうとしているからです。しかし何回か試しているうちに、求めていた心がまえが型に合ってきて、徐々に違和感がなくなってきます。

偽善的な自分と向き合いながら、思いやりやエンパシーの力を養おうとしていくうちに、自分にとってバランスの取れた心がまえに到達できるのです。

では、私たちがすでに備え持つ思いやりやエンパシーなど利他的な「生き抜く力」を引き出すには、具体的にどうしたらいいのでしょうか。

次の第3講では、**スタンフォード大学で開発されたトレーニングを基礎にして、アメリカの「幸せの科学」の第一線の知見も組み込んだ「生き抜く力」を引き出すプレミアム・**

エクササイズを紹介しましょう。
私たち日本人のＤＮＡに刻まれた「生き抜く力」を磨いて、自分の眠った才能を呼び覚ましましょう！

THE POWER TO SURVIVE

第3講

スタンフォード式「生き抜く力」の磨き方

★ ★ ★

全世界的に猛威を振るうモンスターな人たち

「このくらいなら、たいしたことはないわ。病院までこなくても大丈夫だったわよ。他のもっとひどい患者さんを待たせちゃいけないもの。練習はとりあえず1週間休んでおいて」

そういって微笑んだのは、いつもは気さくな若手スポーツ外科女医のキャメロン。ここ数日、いくつも大手術をしてきたので疲労が蓄積していました。いつもの透き通るような微笑みも、吊り上げた頬が重たく感じます。

高校3年のジョーは、最後の柔道大会を2日後に控え、気合満タンで練習していたところ、右手の親指をケガしてしまいました。

ジョーにだって、懇意にしていたキャメロンに悪気がないことはわかっています。しかし頼りにしているキャメロンの思いやりのない言葉を聞いて、ジョーのやり場のない怒りは頂点に達していました。診察室を出るやいなや、力いっぱいにドアを蹴りつけます。

「どかん」という大音響が、静かで冷たい病院の廊下いっぱいに響き渡りました。

思いやりのない行動に出くわすと、つい腹が立ってしまうものです。

「モンスター医師」や「モンスター患者」の話を耳にすることも少なくありません。

さらに、我々教員を悩ます「モンスターペアレント」や、接客業の人たちを苦しめる「モンスタークレーマー」もたくさんいます。

著しく自己中心的で他人への思いやりのない行動が取り沙汰されるのは日本だけではありません。

実際、全米の医療現場では、半数以上の患者が医師の思いやりのない言動にストレスを感じているという調査結果が出ています[32]。

診察現場を撮影した映像を分析したところ、患者の悲しみやストレスサインが2割程度見逃されていたという報告もあります[33]。

反対に、医師が患者の気持ちに十分配慮すると、患者の病気が早く治るという研究結果もあります[34]。

つまり、医師の患者に対する思いやりのない言動は治療効果にさえ影響しかねないのです。

さらに、患者と共感できる医師はストレス耐性があり、過労にもつながりにくいこともわかってきました。[35] モンスター医師になると、医師自身も生きるのがつらいのです。

この状況を問題視したアメリカの医学界は**「共感する力」を養うトレーニング**を開発しました。

現在では医師養成プログラムの中にもこのトレーニングが組み込まれ、医療サービスの質の向上に寄与しています。

こうしたトレーニングは医療分野以外でも求められており、スタンフォード「思いやりセンター」でも、人への「共感する力」を養うプログラムが開発されてきました。

その他にも「共感する力」を高めるトレーニングや、人にやさしくなる習慣など、様々なテクニックやエクササイズが、大学や医療研究機関などで開発され続けています。

「生き抜く力」の3つの基本要素

「生き抜く力」をつけるトレーニングは、**「生き抜く力」がすでに私たちの潜在能力にあることを自覚することから始まります。**

そのために、第1講では「生き抜く力」の源泉となる利他的な心がまえが進化論的に優位であり、脳や身体は利他的な行動が取れるようにプログラムされてきたことを学びました。

他人の痛みや体験を自分の脳に映し出す「ミラーニューロン」や、利他的な心と身体をつなげる「ベガス神経」など、**「生き抜く力」の源泉は私たちのDNAに刻まれている**のです。

これを十分意識したうえで「生き抜く力」を活性化するトレーニングが必要です。

特に人間のポジティブな心の働きは、ネガティブな心の働きに比べて後天的な訓練が必要とされています。相手への利他的な心がまえは、そうした心の働きの典型です。

私が今、自己中で冷たい性格だったとしても、それは生涯背負っていくべき運命ではないのです。今後のトレーニング次第で、本来持っている利他的な「生き抜く力」を発揮できるのです。

誰にでも、正しい訓練で、「生き抜く力」が手に入ります。

では、ピンポイントで効果的なトレーニングをするために、第1講で探ってきた「生き抜く力」の源泉を「3つの要素」に分けて考えましょう。

1つ目は、**「聞き取る力」**です。

「生き抜く力」の源泉は相手への利他的な心がまえでした。

そのためにまず、相手をよく理解することが必要です。

相手は今どんな状況なのか。どういう人柄か。どんな気持ちか。じっくり聞いて理解する「聞き取る力」が大切です。

この力を高めるために**「アクティブ・リスニング」**を紹介します。これはもともとビジネスや心理医療などで研究・開発されてきたテクニックですが、最近では共感する力を高めるエンパシートレーニングとしても注目が集まっています。

2つ目は、相手の心を感じ取り、何かをしてあげようと思う**「共感する力」**です。

このトレーニングとして、**スタンフォード「思いやりセンター」発のエクササイズ「思いやり瞑想」**を紹介します。これはマインドフルネスでもよく使われるメディテーション（瞑想）の方法を取り入れたテクニックで、最新の思いやり研究に基づき、より実践しやすくアレンジされています。

3つ目は、相手に**「与える力」**です。

相手を理解し、心を感じ取り、相手に何かしたいと思ったら、相手の状況や人柄に思いを寄せて、相手のために行動する。

「与える力」を発揮するために、最新の「幸せの科学」の知見をベースにして考案されたトレーニングを紹介します。

このトレーニングは、生きがいや幸せを感じるのに非常に効果的だと近年の「幸せの科学」で明らかになってきました。「与える力」と生きがいの関係は最後の第7講で詳しく紹介します。

さあ、いよいよ「生き抜く力」の基本3要素が出揃いました。

◉「生き抜く力」の3つの基本要素

- 第1要素：「聞き取る力」
- 第2要素：「共感する力」
- 第3要素：「与える力」

さっそくこれらの力を磨くコツを見ていきましょう。

ちなみに、すでに3つの力に自信がある方は、この第3講は参考程度に読み飛ばして、第4講以降の「生き抜く力」の応用編にお進みください。

また、自分の弱いと思われる要素のトレーニングだけをピンポイントで読んでいただくのも、この第3講のおすすめの使い方の一つです。

「聞き取る力」がつく「アクティブ・リスニング」

まずは第1要素の「聞き取る力」です。

大手旅行会社JTBグループが2018年に行った「コミュニケーションへの苦手意識」の調査では、半数以上の日本人がコミュニケーション全般を「苦手」とした一方、7割以上が、聞くのは「得意」と答えました。

とすると、私たち日本人は「聞き取る力」にはすでに長《た》けているようにも思えます。

しかし、相手が話している間に単に黙って聞いているだけでは「聞き取る力」を十分に発揮しているとはいえません。

受け身な姿勢で話を聞く「パッシブ・リスニング」（passive listening）では、相手の話以外のことに気が散ったり、次に話すことを意識しがちになります。

話にしっかり集中して、相手のいうことを正確に聞き取り理解していくためには、積極的に対話に参加していく**「アクティブ・リスニング」**（active listening）のテクニックが効果的です。

パッシブ・リスニングから「アクティブ・リスニング」への転換をしましょう！　聞き上手になるにはいいタイミングで話に参加できる「対話上手」にならないといけないのです。

そこで「生き抜く力」の第1要素「聞き取る力」を養うために、「アクティブ・リスニング」の基本型を紹介します。

人の話を聞くときは、以下に説明する4つの「DO」と4つの「DON'T」に注意しましょう。

会話に取り入れるべき4つの「DO」はコレ

❶パラフレーズ：相手の話したことをいい換え、確認する

相手のいったことを自分の言葉でいい換えたりまとめたりして、相手との会話の中に入れていきます。

相手のいった内容をパラフレーズして確認することで、自分の理解度をチェックできます。

また、こちらが真剣に聞いていることも印象づけられます。

このとき、「なるほど、●●ということですね」と、相手の考えである「●●」を入れると、「そうなんですね。同感です」などの単なる相づちより効果的です。

❷ クエスチョン：相手のいうことを確認しながら詳しく聞く

会話中に疑問に思ったことがあるときは、質問します。

質問の目的は相手の話す内容を確認し、詳しく聞くこと。相手を非難しないようにしましょう。

「●●とおっしゃいましたが、**◇◇ということでしょうか？**」

「●●とおっしゃいましたが、**どういう意味でしょうか？**」

とシンプルに聞いてみましょう。

また、具体的に相手の考えを話してもらうのも効果的です。

「●●のとき、**どう感じましたか？**」

「●●について、**どう考えますか？**」

相手の話を聞きながら、「●●」の部分を相手の話からパラフレーズして聞いてみましょう。

❸エンパシー：相手の気持ちに共感を示す

相手の気持ちに共感できた場合には、率直に伝えましょう。

「おっしゃるとおり。**さぞかし●●でしょうね**」

「そう感じるのは、**ごく自然な気がします**」

「私も、**その状況ではそう感じてしまうと思います**」

ここで**「その気持ちわかる！」は禁句**です。

なぜなら、「アクティブ・リスニング」の焦点は、あなたではなく、相手の気持ちだからです。「その気持ちわかる！」ではあなたの側が強すぎます。

あなたが本当に相手の気持ちをわかっているかどうかは、実のところあなたにも相手にもわかりません。もしかすると、相手は「こんなに悲しいことは他人には絶対にわからない」とふさぎ込んでいるかもしれないのです。十分に注意しましょう。

また、相手の気持ちに完全に共感できなくても、相手の状況に身を置き、相手の気持ちを肯定するよう意識しましょう。

「多くの人がその状況なら●●と感じると思います」

「●●と感じてしまうのも無理もないですね」

相手がなぜその気持ちになっているかに焦点を当て、相手の気持ちに共感を示すのです。

また、相手の気持ちに共感できないとき、否定的なトーンで疑問を投げたり、否定したりするのは厳禁です。

「どうして●●などと思うのですか？」

「●●という気持ちは私にはわかりません」

などは思ったとしても口に出さないでください。

❹ フォーカス：相手の話に集中していることを示す

会話の中に、**パラフレーズ、クエスチョン、エンパシー**を少しずつ取り入れて対話していくと、相手は自分の話がしっかり聞かれていると実感できます。

さらに、そうした対話の姿勢だけでなく、自分の表情や目線、身振り、手振りを相手にシンクロさせていきましょう。

相手が話している間は、相手の目を見て、相づちを打ちます。

相手が悲しい話をしているときに楽しそうな表情をしては信用されませんから、顔の表情も相手にシンクロできるよう意識してください。

会話で避けるべき4つの「DON'T」はコレ

❶ 決めつける

相手の考えや気持ちを決めつけてはいけません。先ほど触れた「その気持ちわかる！」がまずいのは相手の気持ちの決めつけだからです。また、相手の行動を善悪で決めつけるのもいけません。相手の状況や気持ち、考え方を尊重し、オープンな気持ちで話しましょう。

❷ 話の腰を折る

相手が話している間に割って入って話を妨《さまた》げてはいけません。質問するときも、細かいことを聞きすぎて会話の全体像を見失わないように。相手が次のポイントに移りたいのに、余計なことに脱線してはいけません。

相手の話を忘れる、わからないことをそのままにする、会話の中で突拍子もないことをいうなど無礼は絶対に避けましょう。

❸ アドバイスする

「アクティブ・リスニング」の目的は、相手の状況や気持ちに理解を示すことです。

相手が悩みを打ち明けても、あなたからのアドバイスがほしいかどうかはわかりません。単に、聞いてほしいだけかもしれないのです。

こちらから一方的なアドバイスをすると、相手を嫌な気分にさせかねません。

❹ 否定する

相手のいっていることを否定したり、疑問を投げかけたりしてはいけません。

「アクティブ・リスニング」の目的は、ディベートに勝つことではありません。何が正しくて何が悪いのか、あなたの意見と相手の意見が同じか、違うかは関係ありません。

あくまでも相手を理解することが目的なので、**オープンマインドで相手を尊重しながら対話**を進めましょう。

以上が「アクティブ・リスニング」の基本です。4つの「DO」と4つの「DON'T」を意識して、相手の話にほどよく参加して「聞き取る力」を発揮しましょう。

そうはいっても、いきなり「DO」と「DON'T」の8項目を同時に意識するのは難しすぎる！

そんな反応は、ごく自然です。慣れない場合は、少しずつ丁寧にやっていくことが肝心です。

そのために、ここで紹介した「アクティブ・リスニング」の基本を使った具体的なトレーニングを、**巻末プレミアム・エクササイズ**で紹介しました。

ビギナーから上級者まで、各レベルのトレーニング法があります。自分一人でも始められます。ぜひご活用ください。

スタンフォード式「思いやり瞑想」で「共感する力」が手に入る

次は、「生き抜く力」の基本要素の2つ目、**「共感する力」**のトレーニングです。

スタンフォード「思いやりセンター」の科学ディレクターのエマ・セパーラ博士のトレーニング法を紹介します。

これは、最近、日本でも注目されつつある「マインドフルネス」のメディテーションの一つで、「慈悲の瞑想」と呼ばれるものをベースに考案されました。

「慈悲の瞑想」というと、なんだか堅苦しく思われるかもしれませんが、英語では**「loving**

kindness」と呼ばれており、相手に対して愛おしく思う（loving）、親切な心（kindness）という意味です。

本書では**「思いやり瞑想」**と呼びます。

自分を心からいたわる気持ちから始め、身近な人たち、見知らぬ人たち、すべての人たちへと思いやりの輪を広げていくメンタルトレーニングです。「共感する力」を磨くのに最適で、瞑想のリラクゼーション的な側面も持ち合わせたとっておきのプレミアム・エクササイズです。

近年、「慈悲の瞑想」などのマインドフルネスの方法は、心理学や脳科学によってリラクゼーション効果やストレス耐性を上げる効果が明らかにされてきました。

従来は、「思いやりトレーニング」や「エンパシートレーニング」というと、毎日数時間、数か月かけてトレーニングを行うのが主流でしたが、最近では15分程度の短いトレーニングでも効果が発揮されるという研究結果が出てきています[36]。

本書の「思いやり瞑想」は、できるだけカジュアルに、簡単に、それでいてサイエンスに基づいた効果が発揮されるようにデザインされています。

読者の方々にマインドフルネスの基本型をより身近に感じてもらいながら、「生き抜く力」を磨くことができるトレーニングになっています。

「思いやり瞑想」は、「慈悲の瞑想」に基づいてセパーラ博士が考案したスクリプトに基づいています。

そのスクリプトを日本語訳した音声が、私の公式サイト（https://tomohirohoshi.com/）で無料アクセスできます。その音声の指示に従って、瞑想エクササイズを行うことができます。

全部で15分程度ですから、週1〜2回、就寝前などリラックスできる時間を見つけてやってみてください。

もしくは、「思いやり瞑想」のスクリプトを巻末プレミアム・エクササイズの5〜10ページに掲載しましたので、友人や家族に読んでもらったり、自分で録音したりしたものを聞いてやってみてもかまいません。

ご自身が最もリラックスして行える方法を探してください。

人に読んでもらったり、自分で読んだりする場合は、ゆっくりしたペースで、ささやくようなやわらかいトーンで読むのがコツです。巻末の「思いやり瞑想」スクリプトには、各セクションに時間が割り当てられているので参考にしてみてください。

さて、このようなエクササイズは、メディテーション未経験者には、ちょっと恥ずかしかったり、胡散臭く思えたりするものです。

私自身、論理学者ですし、かなり疑い深く、恥ずかしがり屋なので、このエクササイズを始める前はかなり身がまえていました（笑）。

それでも何回かやっていくうちに、意識が変わってきました。

メディテーションやマインドフルネスのビギナーにはつきものですが、この最初の壁を越えられるかどうかがポイントです。

最初の10回くらいが勝負。根気強くやってみてください。


それでもハードルが高いという方もいるでしょう。

その場合は、「思いやり瞑想」をやる前に、類似効果のあるメンタル・エクササイズから始めてみるのもアリです。

カリフォルニア大学バークレー校（UCバークレー）の「よりよい人生センター」の公式サイトに掲載されている**「似ているところのリストづくり」**（Shared Identity）が、ビギナー向けのトレーニングとして巻末プレミアム・エクササイズの10～12ページに収録されています。常に手軽なエクササイズなのでおすすめです。また、ビギナーでなくても効果的なエクササイズなのでぜひご活用ください。

生きがいと幸せが見つかる「親切リフレクション」

では、「生き抜く力」の第3要素**「与える力」**のトレーニングを紹介しましょう。

トレーニングはいたってシンプル。親切な行動をしてそれを振り返る（リフレクションする）**「親切リフレクション」**です。

これは、アメリカの「幸せの科学」の第一人者で、カリフォルニア大学リバーサイド校のソニア・リュボミアスキー教授が研究に使った方法をベースにしたトレーニングです。

◉「親切リフレクション」トレーニング

週1日、「親切の日」をつくり、人のためになることを**「5つ」**やってください。

どんなに小さなことでもかまいません。自分から意識した親切行動でなくても、後から振り返れば結果的に親切だった行動を含めてもOKです。

「前方からくる人に道を譲った」
「後方からくる人が通れるようにドアを開けておいた」
「オフィスで落ちていた書類を拾ってあげた」
「募金に寄付をした」

「献血をした」

「家事を手伝った」

「ボランティアをした」

「学校や会社の●●係に立候補した」

など、自分なりに人のためになったと思えることなら、なんでもＯＫです。

◉5つの親切行動を「6つ」の視点から振り返る

「親切の日」の最後に、５つの「親切行動」それぞれに関し、次の質問に答えながら、６つの視点で振り返ってみましょう。

- どんな親切をしたのか？
- 誰のためになるのか？
- どうしてその行動を取ったのか？
- その行動を取って、どんな気持ちになったか？
- 同じ目的のために他の親切行動はあったか？
- さらに相手のためになることはあるか？

正直な気持ちで、じっくりと具体的に自分の気持ちを振り返ることが大切です。

心理療法などで使われる「ジャーナリング」の方法を応用して、5つの行動を「日記」にまとめてみるのもおすすめです。長くても短くてもかまいません。

日記をつける場合は、**後で見返し、自分が何をして、どんな気持ちになったかを思い起こせる**ように書きましょう。**日付**をつけるのも忘れずに。

「日記」といかないまでも、数行のメモのような形で、やったことと簡単な気持ちを書き留めるだけでも効果が上がります。

◉次の「親切の日」に向けた準備

次の「親切の日」の前には、前回の「親切の日」のことを思い出しながら、計画を立てましょう。日記やメモを取っている場合は、それを読み返しましょう。

できるだけ、これまでにやってこなかった親切行動を計画してください。

また、以前の「親切の日」で改善の余地があった部分は、改善できるよう計画するのもいいでしょう。

この親切行動のエクササイズの目的は、実際に親切行動を取る心の習慣をつくることで、**「与える力」**を養っていくことです。

しかし、このエクササイズの効用は、「与える力」のトレーニングだけにおさまりません。リュボミアスキー教授の研究によると、このエクササイズをすると、生きがいや幸せを感じられるようになることが明らかになっています。

このエクササイズと生きがいと幸せの効果については、第7講で詳しく紹介します。

なぜ、5つの親切を1日にまとめるのか？　違う親切行動を取るのか？

このエクササイズに、リュボミアスキー教授が発見した「幸せへの秘密」が隠されているのです。

著者のつぶやき

取扱注意！「アーロン博士の36問」で恋に落ちないで

この第3講では「生き抜く力」の基本3要素**「聞き取る力」「共感する力」「与える力」**のトレーニングを紹介してきました。

それぞれ、週1回、1日おきに一つずつエクササイズを計画し、毎週3つのエクササイズをやってみる。それを3か月続けると効果が実感できるでしょう。

科学的な効果が検証された方法をベースにしています。人によっては3か月を待たずに効果が現れるかもしれません。

次の第４講からは、ここまで見てきた「生き抜く力」の基本３要素を応用し、実際に社会を生き抜いていくためのスキルを徹底解剖していきます。

人間関係、コミュニケーション法、天敵とうまくつき合っていくための戦略など、盛りだくさんです。

本講の締めくくりに、「おまけ特典」として**「アーロン博士の36問」**を紹介しましょう。

「生き抜く力」の基本３要素のトレーニングは、特定の人にフォーカスするのではなく、すべての人たちを利他的に思いやるための心の習慣をマスターするものです。

一方、誰か特定の人とどうしても仲よくなりたいときもあります。

仕事やプライベートのパートナーと、すでに良好な関係を保っていても、さらに深い関係になれるのならいうことなし。

そんなときに役立つのが「アーロン博士の36問」です。

ニューヨーク州立大学ストーニーブルック校のアーサー・アーロン博士は、自ら考案した「アーロン博士の36問」で一躍「愛の心理学」の研究者として名を馳《は》せました。この「アーロン博士の36問」を使うと、互いの親密度が上がることを自身の心理学研究で明らかにしたのです[37]。

この「アーロン博士の36問」はその名のとおり、アーロン博士が考案した36の質問を親密になりたい人と交互に答えていく対話のゲームです。

しかし、このゲームを紹介する前に、**一つ警告**です。

「アーロン博士の36問」はアメリカのメディアで紹介後すぐに大人気。多くの人たちが試した結果、相手と親密度が上がりすぎ、「恋に落ちる」ケースが続出したのです。

ですから、取り扱いには十分に注意してください。思いがけず恋に落ちても私は責任を取りかねます（笑）。

「アーロン博士の36問」

親密になりたい相手と以下の36の質問に順番に答えてください（以下、「相手」とは「36問」の対話相手を指します[38]）。

全質問に答えると、1～2時間くらいかかります。ティータイム、食事、お酒の席など、リラックスしながら、ゆったり時間が取れる機会に、ゲーム感覚でやってみるのがおすすめです。

職場の研修などで、恋に落ちない程度にしたければ、ショートバージョンがおすすめです。

まず、第1セットから始め、それぞれのセットの質問に15分で答え、15分経ったら次の質問セットに移ります。第1セットから第3セットの全3セットで計45分の会話になります。

第1セット

❶ 世界中の誰でもディナーに誘えるとしたら、誰を誘いますか？

❷ 有名になりたいですか？ なりたいとしたら、どういうふうに有名になりたいですか？

❸ 電話する前に、これから電話で話すことを練習したことがありますか？ なぜそうしましたか？

❹ あなたの「完璧な日」とは、どんな日ですか？

❺ 最近一人だけで歌ったのはいつですか？ 他の人と歌ったのはいつですか？

❻ 90歳まで生きられるとしましょう。30歳になってから、体が歳を取らないのと、

心が歳を取らないのと、どちらがいいですか？

❼ 自分の死に方を想像しましょう。恥ずかしくて他人には内緒にしたいような予測はありますか？

❽ あなたと「相手」に共通しているかもしれないと思うことを3つ挙げてみてください。

❾ 人生で一番感謝していることは何ですか？

❿ あなたの受けた教育の方法をどこか変えるとしたら、どこを変えたいですか？

⓫ 4分以内で「相手」にあなたのこれまでの人生の話をできるだけ詳しく話してください。

⓬ 明日起きたときに、新しい能力や性格を身につけているとしたら、何を選びますか？

第2セット

⓭ 水晶があなたの人生や未来について教えてくれるとしたら、何を聞いてみたいですか？

⓮ 長い間夢見てきたやってみたいことはありますか？　なぜまだそれをやっていないのでしょうか？

⑮ あなたの人生で最も大きな功績とは何でしょう？
⑯ 友達関係で最も大切なものは何ですか？
⑰ 最も大切な思い出は何ですか？
⑱ 逆に、最も悲惨な記憶は何でしょう？
⑲ もし、余命1年であると知ったら、今の自分の生き方をどう変えますか？　それはなぜでしょうか？
⑳ あなたにとって友達関係とは何ですか？
㉑ 愛や愛情はあなたの人生にどんな意味がありますか？
㉒ 「相手」の長所なのではないかと想像することを、順番に一つずつ5個いってください。
㉓ あなたの家族はどれくらい仲よしですか？　自分の子ども時代が平均よりも幸せだったと感じますか？
㉔ あなたの母親との関係はどうですか？

第3セット

㉕ あなたと「相手」に共通している真実を3つ見つけて、「私たちは……」という形の文でいってみてください。たとえば、「私たちは、今この部屋にいて、……

と感じている」などです。

㉖ 以下の文を完成させてください。「●●を誰かと共有できたらいいな」

㉗ あなたと「相手」が親しい友人になるとしたら、自分について知っておいてほしいことは何でしょう？

㉘ 「相手」の気に入っているところを伝えてください。今、会ったばかりの人にはいわないぐらいに正直に。

㉙ 「相手」にこれまでの人生で一番恥ずかしかった話をしてください。

㉚ 他の人の前で泣いたことがありますか？　いつですか？　自分一人で泣いたことはありますか？

㉛ 「相手」のことですでに気に入ったことを伝えてください。

㉜ 深刻すぎてジョークにならないことはありますか？　あるとしたら何ですか？

㉝ あなたが今晩、誰とも話さずに死ぬとしたら、これまでいわなかったのが悔やまれることはありますか？　なぜそれをこれまで隠していたのでしょう？

㉞ あなたのものがすべて置いてある家が火事になりました。家族とペットを助けた後、一つだけ何か取りに行く余裕があったら、何を取りに行きますか？　なぜそれを選びましたか？

㉟ あなたの家族の中で誰かが死んでしまうとしたら、あなたが一番取り乱してしま

いそうなのは誰ですか？

㊱ 「相手」に悩みを一つ打ち明け、アドバイスをしてもらってください。また、あなたの選んだ悩みに関して、あなたがどのように感じていると思うかを「相手」に聞いてください。

THE POWER TO SURVIVE

第4講

【ハーバード×スタンフォード】
極上「コラボ力」で最高の人間関係をつくる

★ ★ ★

人生はコラボに満ちている

8：30〜9：45
高2生15名に科学哲学のオンライン授業。コースも締めくくりを迎えている。計算機の歴史からコンピューティングと人間の脳の仕組みについて考える。

11：00〜12：00
哲学科の新人教師の年度末評価ミーティング。彼にとっても素晴らしい1年だったので、評価もミーティングも良好。大満足。

12：30〜13：30
マラソン仲間と10㎞ラン。7月のサンフランシスコ・マラソンを目指して数人の仲間と練習してきた。週に2〜3回は短めに、週末は長めに20㎞ほど走る。

14：00〜15：30
学校行政部会議。年度末集会の企画を煮詰める。スタンフォード大学のキャンパスに

生徒を迎え、3日間にわたり卒業式や年度末を祝う大規模なお祭り。

19：00〜22：00
地域の日本人会のボランティアの集まり。日本の文化を紹介するイベントの企画などを話し合う。もちろん酒盛りつき。

これは、スタンフォード大学・オンラインハイスクールがまだまだスタートアップモードの頃（2011年5月3日）の私のスケジュールです。

当時、スマホは普及していましたが、細かい予定は紙の手帳に書いていました。
振り返れば、手書きでよく書き込んだと思いますが、今ではもう手書きには戻れません。

このスケジュールのように、仕事やプライベートの大半は他の人たちとの**「コラボ」**の時間で満たされています。

ミーティングやグループ活動、授業も、教師と生徒間のコラボの時間。手帳に書かれていなかった食事や団らんもそうです。複数の人たちが集まって協力しながら、何かをやり遂げるのが「コラボ」です。

ただ、日々の生活がコラボばかりといっても、その場その場でうまくコラボしていくのは簡単なことではありません。

特に異なる人種や文化、思想の人たちが集まっている場合には難しい。また、テレビ会議やメールなどのオンラインでのコミュニケーションでは、予期せぬ問題が起こりがちなものです。

では、どうすればいいのか。

極上のコラボを実現させるカギは「生き抜く力」にあります。

相手をよく理解し、利他的な心がまえで、充実したコラボライフを送る。極上の「コラボ力」は「生き抜く力」の一部ともいえます。

本講では、極上の「コラボ力」で最高の人間関係を得るために、ここまで学んできた「生き抜く力」の基本3要素（聞き取る力、共感する力、与える力）を駆使して、効果的なフィードバックや感謝、謝罪法を考えていきます。

【ハーバード×スタンフォード】コラボの基本6法則

ハーバード・ビジネス・スクールのフランチェスカ・ジーノ教授の調査によると、職場でコラボ機会を無理やりつくり出そうとしたり、恣意的にインセンティブをつけてコラボを奨励したりしても、良質なコラボは得られません。

形式的なやり方で強引にコラボを誘発しようとせず、私たちの心の習慣を地道に変えなくてはいけないのです。

コラボには、互いに対する敬意や、違う意見に対するオープンさ、細かい気遣いなどが必要ですが、すべてのコラボメンバーにそうした心の習慣を常に期待できるわけではありません。

逆に、コラボ相手を信用しなかったり、自分の考えに固執したりしてしまいがちです。そんなときに、どうしたら極上のコラボを実現できるでしょうか。

ジーノ教授は様々な企業でコラボのあり方を研究し、**「コラボの基本6法則」**を提唱しています[39]。

この法則はここまで見てきた「生き抜く力」の基本3要素の応用そのものです。

ここでは「スタンフォード式生き抜く力」の観点からジーノ教授の「コラボの基本6法則」をまとめて紹介します。

◉ジーノ教授の「コラボの基本6法則」

法則1：コラボ相手の話をじっくり聞き取る
法則2：コラボ相手の心に共感する
法則3：具体的で明確なコミュニケーションをする
法則4：「引っ張る」と「折れる」のバランスを取る
法則5：コラボ相手とウィン・ウィンの関係を築く
法則6：フィードバックに気をつける

それぞれの法則を見ていきましょう。

◉法則1：コラボ相手の話をじっくり聞き取る

相手のいうことをしっかり聞き、理解することから始めます。

「生き抜く力」の第1要素**「聞き取る力」**を発揮するときです。

「アクティブ・リスニング」のテクニック（↓88ページ）を使い、コラボ相手の目的や希望、スキルや知識などのバックグラウンドをより深く理解します。

「アクティブ・リスニング」を使えば、相手を理解することと同時に、信頼関係を築くきっかけにもなります。何よりもまず、コラボ相手をよく理解することから始めなくてはいけないわけです。

私がスタンフォード大学・オンラインハイスクールでだいぶ前に受け持った卒業生のキャシーも、「アクティブ・リスニング」の恩恵に預かりました。

キャシーはとても快活で、知識やスキルも高く、「できる生徒」として一目置かれていました。

面倒見もよく、授業で他の生徒とコラボ学習をする際は、てこずっている生徒を手助けしながら、ぐんぐん引っ張っていくリーダー的な存在でした。

あるとき、生物の授業で、環境がテーマの自由プロジェクトのグループ・コンペが行われました。もちろん、キャシーはグループのリーダーになります。

しかし、自分のやり方でどんどんプロジェクトを進めていこうとするキャシーの姿勢が、徐々にグループ内に不協和音を生み出します。

なんとか問題を解決しようとグループのみんなも知恵をひねり出そうとしますが、キャシーはリーダーの使命感からなのかまるで聞く耳を持ちません。

ただ、そんなキャシーも内心、焦り始めていました。

そうとは知らない不満を感じた他の生徒たちは、ついにキャシーのグループを離脱。しかも、その生徒たちが行った先のグループが、クラスで最高評価を得たのです。


キャシーはとても落ち込みました。


そこで私はキャシーと相談し、「アクティブ・リスニング」の基礎を一緒に学んでいきました。

すると、みるみる上手なアクティブ・リスナーになり、他の生徒と最高のコラボが可能になりました。

キャシーは現在、生物を専攻。スタンフォードの大学院生で、他の大学院生や研究者たちと大きなプロジェクトに取り組んでいます。

◉法則2：コラボ相手の心に共感する

「生き抜く力」の第2要素**「共感する力」**を発揮して相手の気持ちを感じ取りましょう。

いろいろな人たちとコラボをするとき、すれ違いが起こるものです。

そんなとき、理解できない相手に否定的な態度を取ったら、うまくいくはずがありません。

みんなそれぞれのやり方でコラボに貢献したいと思っているという前提で、相手の気持ちを汲み取ろうと努力しましょう。きっと光が見えてきます。

また、こちらが善意で「共感する力」を発揮しているつもりでも、相手はそうとは感じないことがあることも心に留めておきましょう。

まずは何よりも**相手の本音をじっくり聞き取り、それに共感しながら寄り添う姿勢**が大切です。

私は趣味のマラソンを始めてだいぶ経ちますが、マラソン大会にエントリーしたときは、モチベーションを維持するために、他のランナーとグループで練習するようにしています。グループで伴走し合うのは、まさに互いを支え合うコラボ。マラソンは非常にきついスポーツなので、私には一人で練習してレースを完走できる自信がありません。

あるとき、グループに新メンバーが加わりました。その人はマラソン初心者です。

私はベテランランナーとして、彼のペースに合わせつつ、他のメンバーにもそうするように促しながら走っていました。

もちろん、親切心からそうしたのですが、後で親しくなってから、本人からこう打ち明けられました。

「あのとき気持ちはありがたかったが、ベテランランナーに囲まれ、正直プレッシャーになっていた。疲れたときは、みんなから距離を置いて、自分のペースで走りたかった」

ごもっともですよね。もう少しエンパシーを発揮し、新人ならではのプレッシャーを感じ取っていれば、彼に気まずい思いをさせることもなかったでしょう。大いに反省しています。

◉法則3：具体的で明確なコミュニケーションをする

具体的かつ明確なコミュニケーションを心がけましょう。

慣れた相手だからと、指示や意思疎通を雑にすると、予期せぬ問題に発展します。具体的な説明をせずに、相手の想像力に任せきってはいけません。雑ないい方や抽象的表現を避け、具体的かつ明確なコミュニケーションを心がけます。

どう伝えたら、相手のためになるか。「生き抜く力」の第3要素**「与える力」**を発揮することが大切です。

あるとき、スタンフォード大学・オンラインハイスクールの卒業イベント企画会議で、企画部長から「寄付金感謝祭のクオリティを上げる」という目標がイベント担当者に出されたことがありました。

私もその前年の寄付金感謝祭がもの足りなかったと感じていたので企画部長に同意し、イベント担当に対応を一任しました。

イベント担当はそれに従い、飲み物や食事をアップグレード。感謝祭のクオリティ向上に貢献します。

しかし、イベント後の反省会で、寄付金感謝祭の予算額が予定より大幅にオーバーしたことが問題になりました。

その反省会で「寄付金感謝祭のクオリティを上げる」といった企画部長の真意は、「イベント中のプレゼンなどプログラム内容の質自体を向上させるとともに、教師の参加を徹底したい」ということでした。それならば、追加の予算はかかりません。

企画部長は、はじめから「クオリティを上げる」という意味を具体的に説明しておくべきでした。そうすればムダな経費がかからずにすんだのです。

私自身、具体的かつ明確なコミュニケーションの大切さを痛感するよい教訓となりました。

◉法則4：「引っ張る」と「折れる」のバランスを取る

「引っ張る」と「折れる」のバランスを取ることも大切です。

複数の人がコラボすると、グループをまとめ上げて引っ張る力が必要になります。

誰がリーダーシップを発揮するのか、リーダーが誰なのか決まっていない場合は、場面場面でリーダーの役割が入れ替わっていくこともあります。

自分の得意ジャンルのときはコラボを「引っ張る」リーダー側に回りつつ、コラボ相手がリーダーに適任なときは、任せる側になって「折れる」。

そのように工夫してバランスを取りながら「引っ張る」と「折れる」を使い分けましょう。

「引っ張る側」にずっといて、相手にチャンスを与えないと、相手も不満がたまってきます。自分がずっと「折れる側」にいても、今度は自分のストレスがたまってしまいます。

どちらか一方に偏らないようにしましょう。

あらかじめ自分にリーダーの役割が任されているときは、コラボを「引っ張る」努力をしつつも、多様な意見に対し「聞き取る力」を発揮し、こちらが「折れる」ことでグループ内の意見を最大限に高める道筋を考えましょう。

自分が！　自分が！　と張りきっても何もいいことはありません。自分の力を発揮し続けることだけがリーダーの役割ではありません。

グループ全体の力を最大限に引き出すことこそがリーダーの役割なのです。

人に任せたり「折れたり」することの必要性を意識して、リーダーとして最高のコラボを演出していきましょう。

以前、シリコンバレーの私が住んでいた地域に、日本人の大先輩がいました。

アメリカ滞在歴が長く、人脈も広い。面倒見もよく、頼りになる方でした。

あるとき、その地域の日本人会で、日本文化を紹介する祭りを企画することになりました。その先輩は、広い人脈を駆使し、いろいろな出しものを計画しました。

しかし、大半が若かった日本人会メンバーは、その大先輩の勢いに圧倒され、意見がいいにくくなってしまいました。

また、先輩も他の若い人たちから意見が出てきても、一切耳を傾けようとせず、若者たちもフラストレーションをためていきました。

「まあ、任せときなよ！」といっていた先輩の自信どおり、祭り自体は大盛況だったのですが、その後に残ったのは、若手メンバーと先輩とのあつれきでした。

面倒見がよく、頼れる先輩は、コラボ相手に協力の隙を与えない「ワンマン」のリーダーシップに陥ったのです。

「引っ張る」と「折れる」のバランスをうまく意識しないと、長期的な極上コラボの関係にはなりません。ボランティアならなおさらです。

◉法則5：コラボ相手とウィン・ウィンの関係を築く

コラボ相手とウィン・ウィンの関係を築きましょう。

ジーノ教授は、授業で次のような実験演習をするそうです。

実験のはじめに、ペアになった生徒のそれぞれに異なる目的が告げられます。

一人の生徒はジュースをつくる。もう一人はマーマレードをつくる。生徒同士は互いの目的を知らされていません。

そのうえで、そのペアに1個だけオレンジが渡され、そのオレンジを分け合うように指示されます。

生徒同士でそれぞれの目的を共有できないと、オレンジの取り合いになったり、オレンジを半分ずつ分け合ったりすることになります。

実際、オレンジの実をジュースの生徒に、皮をマーマレードの生徒に分けられるペアは一握りだといいます。

コラボへの参加目的や、コラボから得ようとするものは、みんなそれぞれ違うもの。オレンジの実と皮をジュースとマーマレードという異なる目的に応じて分けるといったような互いにウィン・ウィンのコラボを実現するためには、目的やニーズ、動機づけをオープンに話し合うことが必要です。

これまでの法則１〜４も駆使し、コラボ相手のためになりつつ、自分のためにもなるウィン・ウィンの解決策を模索する習慣をつけましょう。

◉法則６：フィードバックに気をつける

フィードバックには十分気をつけなくてはいけません。

互いへのフィードバックは極上コラボには不可欠です。

コラボが暴走してうまくいっていないときは、フィードバックを出し合って、改善につなげていく必要があります。

そうでないときでも、改善点を指摘し合うことでさらによいコラボにつながります。

互いの意見交換はコラボに必要な潤滑油です。

しかし、効果的なフィードバックを出すのは難しい。ただ思ったことをいえばいいわけではありません。相手にネガティブに取られ、対立してしまっては意味がありません。

スタンフォード大学・オンラインハイスクールにも教職員の評価システムがあります。これはスタンフォード大学の評価システムに準じたもので、毎年度末に行われます。その時期に、大学の人事部から職員全員に評価プロセスの開始を告げる通達があります。「フィードバックは出しにくいし、受け入れにくいところもあるが、オープンな気持ちで互いに信頼し合いながらやりましょう」

こうしたリマインドは大切ですが、「オープンな気持ちで」のひと言で問題が解決するほど簡単なものではありません。そこで、フィードバックについてもう少し詳しく見ていきましょう。

従来のフィードバックがアテにならない3つの理由

スタンフォード大学・オンラインハイスクールでは、設立以来、教職員の評価システムの改善に活発な議論と調整が行われてきました。以下の3つのコメントは、システム導入当初に出た教職員幹部の主要意見です。

1つ目 「4　例外的にすぐれている」

「3　期待を超えている」
「2　基準を満たしている」
「1　要改善」

どのようなパフォーマンスが1〜4の評価に当てはまるのかが、ひどくあいまい。また、パフォーマンス項目は25もある。「そこから数項目を選び、具体的にフィードバックしなさい」といっても、どうやって項目を選ぶかは評価側の恣意性が高い。

2つ目

「率直な評価やフィードバックを心がけろ」といっても、数字をつけたり、よい・悪いと評価したりするのは教育者に対して敬意を欠く行為ではないか。自分の予想より低い数字や聞きたくないフィードバックで、モチベーションが下がる教師もいるのではないか。

3つ目

そもそもよいとか悪いとか、数字で判断される基準がわからない。それぞれの教育者から学ぶものはあり、一つの教育法を取って、是か非か評価を下せる人など本当にいるのか。

「ごもっとも」な反面、有名大学で博士号を取得した頭でっかちな教育者たちの屁理屈のように聞こえるかもしれません。

しかし、彼らのフィードバックや評価に関する疑問は、心理学やビジネス理論の分野でもさかんに研究されてきました。

たとえば、『ハーバード・ビジネス・レビュー』などでも活躍するマーカス・バッキンガムとアシュリー・グッドールの共著『NINE LIES ABOUT WORK（仕事に関する9つの嘘）』にある、フィードバックがアテにならない**3つの理由**は、先ほどの教職員幹部のコメントと強く符合しています。

第1に、上司による評価は、評価される部下のパフォーマンスより、評価する側である上司の癖をより強く反映しているものだということが明らかにされています。

実際、評価決定の70%ほどが評価する側に関する要因だけで決定されてしまう一方で、評価される側のパフォーマンスによる違いは20%にも達しないという結果が報告されています。

つまり、評価される側はいくら頑張っても、頑張らなくても、与えられる評価のほんの少ししか変えることができないということです。

評価のほとんどが、評価する側が選択した基準そのもの、もしくは、評価する側の偏見や癖など、評価される側のパフォーマンス自体とは関係のない部分で決定されてしまう。そうなると、パフォーマンス評価はまったくアテになりません。

これは、**「評価者の癖による効果」**（idiosyncratic rater effect）と呼ばれていて、1990年代から同様のビジネス理論の研究結果が報告されており[40]、アメリカのビジネス界では、だいぶ広く知られるようになりました。

スタンフォード大学・オンラインハイスクール幹部の「基準があいまいで、評価が恣意的になる」という実感は、こうした結果に裏づけられます。

もちろん、これをもって、すべての評価がアテにならないということではありません。しかし、職場で他の人たちに評価を下したり、フィードバックをしたりするときには、パフォーマンスとは無関係の**評価者側の癖が大きく出てしまうことを肝に銘じておく**必要があります。

第2に、率直なフィードバックや評価が、必ずしも評価される側の改善につながるわけでもありません。

自分の短所や弱点を指摘され続けると、学習効果が下がってしまいます。

逆に、得意分野を少しでもほめられたほうが、学習効率が高いことが脳科学的にもわかっています。フィードバックの際には、**ポジティブな視点を意識的に組み込む**ことが大切です。

第3に、**「よいパフォーマンス」を定義するのが極めて困難**だということです。

仮に、明確な基準や数値が設定されていたとしても、その基準や数値を満たすパフォーマンスは無数に存在するので、型にはまったフィードバックでは、よいパフォーマンスを引き出すどころか、コラボ相手のよいところをつぶしてしまいかねません。

たとえば、プロ野球で20勝したり、3割の打率を残したりすれば、異論なく素晴らしいパフォーマンスと認められるでしょう。その意味では、明確なよいパフォーマンスの基準があるようにも思えます。

しかし、投手の投げ方や打者の打ち方のスタイルは多様で、歴史に残るユニークな投げ方、打ち方で、野球の殿堂入りした選手は多数いるわけです。

そうした選手たちに、20勝投手や3割打者を目指すために、投げ方や打ち方の定石を押しつけて指導していたら、彼らの生み出した歴史に残るパフォーマンスが可能だったかどうかは疑問です。

これは一方で、明確な基準や目標数値が本質的に恣意的であることをも表しています。数値化できる勝利数や打率の一方で、堅実な守備や声の大きいチームのムードメーカーなど、数値化されていない部分で貢献しているプレーヤーが多数います。そうした数値化されない「プレー」も名場面をつくり上げる重要な要素なのです。

こうしたことは、もちろんプロ野球に限ったことではありません。企画開発、プレゼン、販売、接客など、手順や基準が明確なものでも、手際のよさや事前準備、コミュニケーション次第で結果に大きな差が出てきます。

確かに、数値目標や明確な基準は大切です。しかし、**数値や基準に現れないパフォーマンスが全体の成果を支えている**ことを忘れてはいけません。

同時に、同じ基準の満たし方は、**無数に存在する**のです。決めつけられた形を押しつけてばかりのフィードバックだと、評価される側が伸びる可能性をつぶしかねません。その人にはその人なりの輝き方があるのです。それを発見してあげられるフィードバックをしていくことが重要です。

フィードバック「3つ」のコツ

以上、フィードバックがアテにならない3つの理由を前提に、フィードバックのコツをまとめておきましょう。

❶ 客観的な基準にすがらず、自分個人としての率直な気持ちを伝える

相手のやったことが、こちらにどんなよい影響を与えたかを具体的に伝えましょう。相手の行為が、客観的によい・悪いの評価はアテになりません。常に「評価者の癖による効果」を免れないからです。

それより、**相手の行動がこちらにどんな結果をもたらし、自分がどんな気持ちになったかを具体的に**伝えましょう。

「あの行動はまずかった」より、「あのとき、**私は気まずかった**」がベター。

「メールへの返信は早くすべきだ」より、**「2日もメールに返信がなかったので、意思疎通が取れないと心配してしまった」**がおすすめです。

❷ 「私ならこうすると思うけど、どう思う?」で相手を尊重する

相手がすべきことを伝えるより、**自分ならどうするかをいって相手の考えを促し**ましょう。

あなたの評価や解決法を押しつけるより、**自分ならどうするか**を伝え、相手が主体的に決定できるように促しましょう。

「こうすべきだ」ではなく、**「私ならこうすると思うけど、どう思う？」**といいます。

❸ 抽象的な基準でなく具体例で指摘

よいパフォーマンスを実感したときは、**何がよかったかをすぐに具体的に**伝えます。「基準」を伝えるのでなく、具体的なパフォーマンスそのものを指摘し、**それがよかった、また、どうしてよかったか**を伝えましょう。

フィードバックを受ける側が自分のよいパフォーマンスを具体的にイメージできることが大切。

「あの発言よかったよ」ではなく、

「そのいい方がとてもよかった。どうやって考えついたの？」

と具体的な行動のどこがどういいのかをイメージさせてあげるのです。

「感謝の科学」第一人者による「感謝力」の磨き方

最高の先生でいてくれてありがとう。
先生に教わったことが、人生で最大の宝物になると思います！
世界一！　愛しています。

アメリカ全土で5月のはじめに「先生感謝の日」（Teacher Appreciation Day）があります。各学校では教職員に感謝するイベントが行われ、生徒や家族から教師に向けて冒頭のような感謝のメッセージやギフトが贈られます。そうした機会に感謝されるのは、教員として誇らしく、とても光栄で幸せなことです。

教育はコラボの塊です。教師と生徒が各々の役割を果たしながら、相互に高め合わなければ、効果的な学習どころか「学級崩壊」につながります。

コラボの相手同士が互いに感謝し合うのは、極上コラボの重要な秘訣の一つ。「先生感謝の日」は、教育現場でのコラボを円滑にする一つの仕組みとなっています。

ここで一つ注目すべきは、「先生感謝の日」で幸せになるのは教師だけではないということです。

2000年代に入り、感謝することを科学するトレンドが心理学や脳科学分野で盛り上がってきました。

一連の研究から、**感謝の効用は、感謝された側よりも、感謝する側にある**ことがわかってきたのです。

「感謝の科学」の第一人者、カリフォルニア大学デイビス校のロバート・エモンズ教授は、「感謝をする人ほど、免疫力や痛みへの耐性が強く、血圧が低い。ポジティブで生きがいや喜びを感じやすく、幸福感も高い。親切で寛大、社交的で孤独になりにくい」と、身体、精神、社会性など様々な面で感謝のもたらす効用を発表しています[41]。

しかし、誰でも何かいいことがあると、

「自分の行動がよかったからだ。自分の苦労や大変な努力のおかげだ」

と思ってしまいがち。また、「すべては運命で決まっていて、どう転んでも自然の成り行きでしかない」という運命論的に考えてしまうことだってあります。

このように、様々なバイアスが私たちの心の中にはびこっていて、感謝の気持ちが抑え込まれる人間心理があります。

これでは極上コラボは難しい。

でも大丈夫です。

誰でも感謝の気持ちを持つことで極上コラボができ、その他「感謝の科学」が明らかにしてきたような恩恵に与《あずか》ることができる。そんな「感謝力」を向上させるためのテクニックがすでに考案されてきました。

ここでは、エモンズ教授の著書『Thanks!』と「よりよい人生センター」発表のテクニックを厳選して紹介します。[42]

「感謝日記」をつける

ありがたかったことを振り返り、書き留めましょう。特別な出来事、なんでもない些細なこと、いつもと同じ日常をすごせること、どんなことでもいいので、感謝の気持ちを思い起こす心の習慣をつけましょう。手帳の片隅に数行書き留めるイメージでもOK。

感謝すべきことを3つ挙げる

日記をつけるのはハードルが高い。それなら3つの感謝すべきことを思い起こしてみましょう。感謝すべきことを3つ具体的に思い浮かべ、感謝の気持ちを鮮明に心に浮かべてみましょう。数分のブレイクにお茶をすすりながらお試しください。

今より悪かったときのことを思い出す

今より悪かったときのことを思い起こしてください。すると、現在自分が置かれている状況に感謝しやすくなります。同じく、現在の生活にあたりまえのことを一つ選び、それがなくなったら、どんな不都合が生じるか想像するのも効果的です。

短期間、好きなことをやめてみる

あえて自分が好きなことを数日〜１週間くらいやめてみる。そうすると、いつも楽しんでいるものがいきなりなくなるので、感謝の気持ちで日常を見直すことができます。

視覚的なリマインダーを使う

目につくところに「人への感謝を忘れない」など、感謝への誓いを思い出せるメッセージを置いておきましょう。持つべき感謝の心がまえを繰り返し思い出すことで、感謝の気持ちを感じやすくなります。

感謝力を高めるテクニックで感謝の気持ちが持てるようになったら、具体的な感謝の仕方を考える必要があります。

自分の感謝の意を素直に伝えることが大切ですが、意外に難しいものです。ひとりよがりの感謝で、相手を不快にしてしまうこともあります。

感謝の意を上手に表現するには、「生き抜く力」を応用しましょう。

第2要素の「共感する力」で相手の気持ちを感じ取り、第3要素の「与える力」で相手のためになることを考えます。

「生き抜く力」で自分も相手もハッピーになりながら感謝できるようになります。

●**共感する力**：相手はどんな気持ちでやってくれたのか。それをやるために、どんな苦労があったのか。感謝したい行動の意図を想像し、相手がそれをしているときの気持ちをエンパシーいっぱいに感じ取りましょう。

●**与える力**：相手のためになるには、どんな感謝がいいか考えます。

○適切な感謝の機会を探りましょう。他の人たちがいるときに感謝すると、相手が気恥ずかしい思いをするかもしれません。予期せぬ迷惑がかかることもあります。感謝するタイミングや状況を考え、ベストな機会を見つけましょう。

○相手の行動が自分にどんなインパクトを与えたのかを**具体的に情景描写して感謝**すると、気持ちの込もった感謝になります。

「先日のコメントありがとうございました」より、**「先日はありがとうございました。**

授業の後、少し落ち込んでいたときに、タイミングよくやさしい声をかけてくれた気遣いがとても嬉しかったです」などがベター。

○相手の意図を汲み取りましょう。ギフトを渡す。手紙をしたためる。どのやり方がいいかは、その場の状況や慣例だけでなく、相手の意図にもよります。通り一遍に「通常、このときはこうするしきたり」と考えるだけではダメ。どんな感謝が相手に心地よいか、不快かをじっくり吟味しましょう。

究極の謝罪法――「謝る力」の3つの基本と7つの目標

ブライダル・プランナーのレイは、週末のイベントの打ち上げではしゃぎすぎ、同僚のウィルと口論になり、ひどい失言をしました。まわりから「謝罪すべきだ」といわれ、月曜の朝、気まずい思いでウィルに謝罪します。「打ち上げでは申し訳ない！　お酒が入ってついい。実際、記憶がなくなっちゃって」

事務のカレンは今週に限って支払書類の処理が遅く、同僚や取引先からクレームが寄せられてしまいました。事務長との会話で、遅れを指摘されたときにカレンは謝罪します。

「本当に申し訳ないです。私のスケジューリングの悪さで、大幅に遅れが出てしまいました。みなさんや取引先には大変な迷惑をかけてしまいました。ごめんなさい」

コラボに失敗はつきもの。相手に悪いことをしたとわかったら謝罪して、関係修復を模索しないといけません。

マサチューセッツ大学メディカル・スクール長を務めたアーロン・ラザール教授（1936-2015）の『On Apology（謝罪に関して）』は、謝罪の仕方に関する「古典」的な位置づけの本になっています。[43]

ラザール教授提案の謝罪法から、最も大切な3つのポイントをまとめてみます。

❶ してしまったことが何かを、謝る側がはっきりと認める

❷ 謝る側が謝られる側の苦しみや不都合を認め、心からわびる気持ちを伝える

❸ つぐないを表したり、問題解決や今後の防止策を提案したりする

先ほどの例で、この3つのポイントをおさらいしてみましょう。

まず、レイの謝罪にはラザール教授の3つのポイントが一つも入っておらず、よい謝罪とはいえません。

ポイント❶に関しては、「申し訳ない」とわびているものの、自分の何が悪かったかをはっきり伝えていません。

これでは何を謝っているかわからないので、

「口論の最中に失言してしまった」

と自分の悪かった行動を認めると相手にしっかり伝わります。

また、ポイント❷に関しても、ウィルへの苦しみや不都合についての言及がないので、

「パーティで気分を害してしまった」

とつけ加えるとベターです。

さらに、ポイント❸もダメ。つぐないの形がまったく示されていません。

「今後飲み会では2杯までにして酔っ払いすぎないようにします」

などとし、つぐないと今後の再発防止策を提示できるとよかったでしょう。

一方、カレンの謝罪はどうでしょうか。

自分のしたことを簡潔に述べ、会社や取引先への不都合も認める。謝罪の気持ちも表しているので、ポイントの❶と❷は合格です。

しかし、足りないのは「どうやってつぐなうか」という点。具体的には、

「今週中に遅れている書類の処理を終えます。該当の書類の処理にプライオリティを置い

てスケジュールを組み直し、これ以上遅れないようにします」

など、現状の問題解決と今後の遅れ防止策をセットで提示するとよい謝罪になります。

こうした謝罪の3つの基本を押さえたうえで、ラザール教授は「効果的な謝罪は次の7つの目標のうち少なくとも一つを達成すべき」といいます。

1 謝られる側の尊厳を回復する

2 謝る側と謝られる側で、今回の被害を了解し合う

3 謝られる側に責任がないことを確認する

4 今回の行為が繰り返されないことが確約される

5 謝る側が受ける罰を、謝られる側が了解する

6 謝られる側がつぐないを受ける

7 謝られる側が謝る側に対し、気持ちを伝える

この7大目標が少しでも多く達成されるよう、相手の気持ちを感じ取る「共感する力」で、自分の行為の結果、相手がどんな気持ちになったかを考えましょう。

そのうえで、相手のために考える「与える力」を発揮して、謝罪の仕方を工夫してみてください。

著者のつぶやき

90%のカップルが別れる!?
絶対に避けたい「離婚の四騎士」

仕事にプライベートに、人生はコラボそのものです。
「生き抜く力」の基本要素をフィードバック、感謝、謝罪に応用して極上のコラボを手に入れましょう。

第4講の締めくくりに、人生のコラボの究極形ともいえる「結婚」について考えましょう。

2人の違う人間が長い間、生活を共にしていくのは、決して簡単ではありません。実際、日本の年間婚姻件数は約60万件ですが、その約3分の1（約20万件）が離婚しています[44]。パートナーと末長く苦楽を共にしていくヒントがあれば、誰しも知りたいところでしょう。

ワシントン大学のジョン・ゴットマン名誉教授は「ヨハネ黙示録の四騎士」にたとえ、自身の研究で発見した結婚を破局に導く4大因子を**「離婚の四騎士」**と名づけました。

「ヨハネ黙示録の四騎士」では、子羊（イエス・キリスト）が7つある封印を解いていくと、それぞれ「支配」「戦争」「飢餓」「死」を象徴する4人の馬乗りが現れます。

それぞれが世界にいる人類の4分の1を殺す力を持ち、4人揃うと人類を絶滅に導いてしまうというのです。

その話にちなんで、結婚を「滅亡」に追いやる「離婚の四騎士」というわけです。

ゴットマンが自身の「離婚の四騎士」に基づいて考案した予測モデルは、**93%の高確率で6年以内の離婚を的中**できました。[45]

結婚生活を長く続けたいなら、ゴットマンの「離婚の四騎士」は必ず避けなければなりません。これは結婚に限らず、関係を続けたいときは意識しておくことが肝心です。

今こそ、ゴットマンの「離婚の四騎士」から大切なパートナーを思いやる方法を先に学んでおきましょう。

◉第一の騎士――人格否定する

相手の言葉や行動に対して改善を促すのは大切ですが、相手の性格や人柄自体を非難してはいけません。

「どうして早く起きられないの！　ちゃんと起きて朝ごはんや子どもの支度を手伝ってよ」

といっても必ずしも「離婚の騎士」にはなりません。

「朝起きなかった」という具体的な行動を指摘し、朝食や子どものサポートの手伝いを依頼することで、具体的な改善提案をしているからです。

一方、

「本当にだらしない。朝から思いやりに欠けるわ！」

というのは「離婚の騎士」です。

「だらしない」「思いやりに欠ける」は具体的な行動ではなく、その人の人格否定に当たるからです。

具体的な言動を注意するだけにとどめ、相手の人格否定につながるような個人攻撃は絶対に避けなければいけません。

◉第二の騎士――侮辱する

「ちょっとちょっと！　仕事から帰ってきたからって、自分だけ疲れているように思ってない？　こっちはもっと長時間働いているんだよ。最悪なヤツ、ダメ人間！」

「最悪なヤツ」「ダメ人間」と侮辱するのは、人格否定の第一の「騎士」をさらに通り越しているので危険です。

相手を侮辱したり、自分が侮辱されたりすると、気持ちが傷つくのは当然ですが、ストレスや関係悪化によって免疫力が低下するなど健康リスクがあることもわかってきています。

侮辱し合うのは互いに百害あって一利なし。互いの身体をも蝕《むしば》む最強最悪の「離婚の騎士」といえるでしょう。

◉第三の騎士――言い訳する

「買い物してきてくれなかったの?」

「すごい忙しくてさ、忘れちゃったよ。忙しいんだから、さらに仕事与えられちゃってもね」

もっともらしい理由を挙げ、言い訳がましくなると、イエローカードです。

自分の事情を説明する前に、**相手への謝罪や、今後ケアすることを真っ先に伝える**必要があります。

言い訳を羅列するのではなく、**率直にわびたり、今後の解決案を提示**したりすることが大切です。

買い物を忘れた理由だけでなく、**まず相手に謝ってから、今後どう解決するかを提示**しましょう。

「買い物してきてくれなかったの？」

「あ、すっかり忘れちゃった！　申し訳ない。すごい忙しくてさ。ごめん。今から行ってくる。これからは帰る前に確認の電話をするね！」

「そんな回答が毎回できるか！」と頭にきてしまった方。

「離婚の騎士」に要注意かもしれません。

◉第四の騎士——ダンマリを決め込む

ケンカした、非難された、侮辱された後に、当事者同士でダンマリを決め込むことを英語では「Stonewalling」といいます。文字どおり、「石の壁」（Stone wall）になってコミュニケーションを拒絶するという意味です。

よく夫婦円満の秘訣として、ケンカをしてもどちらかがすぐに謝るといいといわれます。

それはこの第四の「離婚の騎士」視点からも理にかなっているのです。

こうして「離婚の四騎士」を見てみると、えらい教授の御高説を賜るほどのこともない気さえしてきます。あたりまえのことしか書かれていないようです。

しかし、一度でも結婚した方はわかると思いますが、そのあたりまえを日常生活で続けていくことは必ずしも簡単ではありません。

暗黙の了解だからこそ、「離婚の四騎士」でしっかり意識していくことが大切なのです。

フィードバック、感謝、謝罪、人格否定、侮辱に言い訳、ダンマリ。いずれも本講で見てきたキーコンセプトですが、こうして並べてみると、極上のコラボの根幹にあるのがコミュニケーションであることを再認識できます。

しかし、違った考えを持った人間たちが、上手に意思疎通することは決して単純なことではありません。

実際、私たち日本人の多くがコミュニケーションになんらかの苦手意識を感じているようです。

私たちのコミュニケーションの問題とは何か。

また、それをどのように克服していくことができるのか。

次の第5講では、「生き抜く力」のコミュニケーションへの応用を見ていきましょう。

THE
POWER
TO
SURVIVE

第5講

世界の天才たちもやっているコミュニケーション力の鍛え方

★ ★ ★

コミュニケーション力はDNAで決まらない

苦手意識を持つ人が最も多いのは「複数の人の前で、発表すること」で約75%と、4人に3人が苦手意識を感じています。次いで「初めて会う人と話すこと」(約63%)、「食事会や飲み会などで話をすること」(約57%)、「自分の意見や思いを、口に出して話すこと」(約57%)、「文章を書くこと」(約56%)、「自分と世代・境遇が違う人と話すこと」(約56%)が上位に挙がりました。

これは、88ページでも触れた大手旅行会社JTBグループが2018年に行った「コミュニケーションへの苦手意識」の調査結果です。[46]

これらの項目に「あるテーマについて、掘り下げて会話をすること」(約51%)が続きます。さらに、会話などを含めたコミュニケーション全般を、半数以上の日本人が「苦手」と答えました。

一方で、7割以上が聞くことを「得意」と意識しているようです。

自分の意見を述べる。多様な意見の中で議論を深める。人前でプレゼンする。時には世間話で雑談をするなど、コミュニケーションは、グローバル人材には欠かせないスキルとなっています。

さらに、コロナショックの影響で対面に加え、オンラインコミュニケーションの重要性も高まり、求められるコミュニケーションの形も複雑化しています。

第5講では、これまで見てきた「生き抜く力」の基本を応用し、日本人の苦手とするコミュニケーションスキルを磨いていきます。

◉初対面の会話が不安

慣れ親しんだ友人や気心の知れた同僚となら楽しく堂々と話せるのに、初対面だとうまくいかない。相手がどんな人かもわからないし、自分がどう思われるかもはなはだ不安。

◉ディスカッションが苦手

自分の意見が相手と違ったら、相手が嫌な思いをして、腹を立てるかもしれない。テーマを掘り下げた話をするときにも、こちらに意見がない場合もあるし、自分の気持ちや理解度を相手にさらけ出すのも恥ずかしい。

◉プレゼンの緊張

個別の会話ならうまくいくのに、大勢だとうまくいかない。多くの視線が自分に向けられると緊張してしまう。非難されたり、恥をかいたりしたくない。

これらは、私が以前、アメリカの中高生にヒアリングしたものからの抜粋です。先ほどの日本人の苦手意識調査と比べると、日本人もアメリカ人も、コミュニケーションの不安要因はほぼ同じです。

でも、私が大学やビジネスで出会ってきた多くのアメリカ人はとても話し上手です。初対面でも「スモールトーク」といわれる世間話で上手に場をつなげる。自分の意見をはっきりとわかりやすく主張できる。プレゼンは感動レベルという人も少なくありません。コミュニケーション力を強みだと意識している人も数多くいます。

私の中高生からのヒアリング結果と大学院やビジネスからの体験が食い違っているのは偶然ではありません。

アメリカの学生たちは、コミュニケーションの授業やトレーニングの機会に日々接しています。

社会に出てからも、さらに磨きをかけている人が多い。

苦手意識も、適切なトレーニングを積めば、克服可能です。私もアメリカにきてから、様々なテクニックを学び続けてきました。

コミュニケーションが得意で、緊張や不安を感じない人たちがいるのは、多くの場合、適切なトレーニングを積んでいるからです。

あなたの変えられない性格や、遺伝子の問題ではないのです。**人間はコミュニケーションができるようにプログラムされています**。そのプログラム、つまり、ＤＮＡを解き放つトレーニングさえ積んでいけばいいのです。

緊張・不安克服！　ポジティブ心理学で大注目の「自分をいたわる力」３大要素

まず、コミュニケーションで多くの人が悩むのが緊張や不安です。

これを克服していくためには、相手と自分との心の壁を取り払うトレーニングが効果的です。

初対面でも意見交換でもプレゼンでも、緊張や不安に対する「免疫力」を鍛えなければなりません。

そこで本講では、**「自分をいたわる力」**の緊張マネジメント法を紹介しましょう。

相手を思いやり**「共感する力」**を自分に向け「自分を思いやる」、つまり「自分をいたわる」ことで、対話への心がまえを整えることができます。

「自分をいたわる力」は「Self-Compassion」と呼ばれ、近年の**ポジティブ心理学で大注目のコンセプト**です。

ポジティブ心理学の第一人者であるテキサス大学オースティン校のクリスティーン・ネフ准教授は「自分をいたわる力」には3つの要素があるといいます[47]。

◉自分にやさしくする

第1要素は、**自分にやさしくする**こと。

失敗したり、悲しいことで苦しんだりしているとき、「自分のいたらなさが原因でこんな結果を招いた」「こんな悲しみを感じている自分は弱い」と自分に厳しく当たりがちです。

そういうときこそ自分を非難したり否定したりするのではなく、他人に親切にするように自分と向き合わなくてはいけません。

「自分をいたわる力」をつけるには、**人に親切にして自分自身をあたたかく大切にする**ことが必要なのです。

◉「不完全であることが人間である証である」と意識する

第2要素は、**「不完全であることが人間である証である」と意識する**こと。

よからぬことが身にふりかかってくると、人はみんなバラ色の人生を謳歌しているのに、自分だけがなぜこんな目に遭わなければいけないのかと思ってしまいます。

しかし、本当は、**人間は誰しも不完全。不完全性こそが人間の本質**です。

それをしっかり認識することで、悲しくてつらいときにも、人との共通性に気づき、つながりを感じられます。

◉自分の感じていることそのものを受け入れる

第3要素は、**マインドフルネス、つまり、自分の感じていることそのものを受け入れる**こと。

悲しみや苦しみを感じたときに、そうした感情を抑え込んだり、目をそらしたりしていては「自分をいたわる力」を発揮できません。

一歩立ち止まり、自分の気持ちを受け入れ、そのうえで自分を思いやるのです。

ネフ准教授らの研究によると、**「自分をいたわる力」が高い人はストレス耐性が強いこ**

とがわかっています。

「自分をいたわる力」によって、ストレスがかかったときに分泌されるホルモン「コルチゾール」が少なく抑えられるのです。同じ理由から、うつや不安などを抑えたり、生活の充実感にもつながったりすることもわかってきました。

さらに、**「自分をいたわる力」の効果は、コミュニケーションの苦手意識の克服にもつながる**という嬉しい研究報告もあります。[48]

そうした効果を期待して、「自分をいたわる力」を磨くにはどうしたらいいのか？

本書の読者に朗報なのは、第3講の「共感する力」のトレーニング「思いやり瞑想」（→95ページ）が効果絶大だということです。

「思いやり瞑想」は人と自分との共通点にフォーカスしながら心の壁を取り除くことで、緊張や不安を克服できます。

いや、コミュニケーション力をできるだけ身につけたいので、もっとやれることはないのか？

そんな方に、ネフ准教授考案のエクササイズ**「1回5分！　自分いたわりブレイク」**をおすすめします。

「自分をいたわる力」の3要素を取り込んだ簡単なエクササイズです。

巻末プレミアム・エクササイズの12〜13ページをご覧いただくか、私の公式サイト（https://tomohirohoshi.com/）で、音声スクリプトに無料アクセスできます。

1回5分と簡単なので、就寝前などリラックスできる時間にぜひお試しください。

「アクティブ・リスニング」で苦手な初対面を攻略する

「自分をいたわる力」を磨いた後は、初対面での会話の克服法です。

これには、第3講で学んだ「アクティブ・リスニング」が効果的です。

「アクティブ・リスニング」は相手の話を聞きながら、自分自身も上手に会話に参加していくテクニックでした。

ここでは、その「アクティブ・リスニング」を応用し、初対面の相手をより早く、より深く理解し、相手からの信頼を得る方法を考えていきましょう。

それでは、初対面の会話を攻略する「アクティブ・リスニング」の使い方【応用編】です。

◉特に「DON'T」には気をつける

第3講で、「アクティブ・リスニング」のエクササイズでしてはいけないこと（「DON'T」のリスト）がありました（↓93ページ）。

「決めつける」「話の腰を折る」「アドバイスする」「否定する」の4つを意識的に避けましょう。

このうち一つでもやってしまうと、「なんだこいつ」と思われてしまいます。これは全世界共通。初対面でやってしまうと、あなたにどれだけ「聞き取る力」があっても最悪な印象になります。

◉口ベタにおすすめ：「パラフレーズ」と「クエスチョン」を意識

自分が口ベタだという人は、「アクティブ・リスニング」のエクササイズにある「DO」のリスト（↓89ページ）、**「パラフレーズ」と「クエスチョン」**を強く意識しましょう。

相手の話をまとめてパラフレーズしたり、具体的な質問で会話を広げたりします。

質問の際には、相手の話の流れを妨げず、「DON'T」リストの2番目「話の腰を折る」にも注意しましょう。口ベタなら、うまいこと相手に話してもらって、自然な初対面での会話を演出しましょう。

◉おしゃべり好きにおすすめ：「DON'T」を避け、「共感する力」を意識

おしゃべり好きな人は、「DON'T」リストのおさらいを徹底する必要があります。自分だけが気持ちよくなるのではなく、意識的に相手にも話してもらう機会をつくるのです。

それから「DO」リストの**「エンパシー」**と**「フォーカス」**を強く意識してください（→91〜93ページ）。

決して自分の考えを押しつけず、相手の気持ちに共感を示しましょう。相手と目線を合わせ、ボディランゲージで相手の話に集中していることを伝えます。

初対面では同じトピックを掘り下げていくほうが好印象につながります。あちこちトピックを変えず、相手の話の流れに合わせましょう。

◉話題のストックをつくっておく

初対面での質問やトピックを事前にストックしておくと便利です。

口ベタなら、会話が途切れそうなときにすかさず使えます。こちらから話題を振ることで会話が再開すれば、その後は「アクティブ・リスニング」で会話を広げていけます。

おしゃべり好きでも、話が弾んで好印象だった質問やトピックを意識しておけば、思い

つきの質問で会話が止まるリスクを下げられます。
会話のトピックは、天気やニュースなどは世界共通の鉄板ネタ。さらに相手や自分自身の名前や出身地など、個人のプライバシーを害さない範囲内で共通のトピックを考えましょう。

「オープンエンド」の質問を心がける

話題を投げかけるときに、YESかNOで答えられる質問ではなく、**「5W1H」の誰、どこ、なぜ、何、いつ、どうやってなどのオープンエンドの質問**を心がけます。こうすれば、会話が膨らみやすくなります。

「来週から年末年始ですね」「年末年始はお休みですか?」だと、相手が口ベタなら「はい」か「いいえ」で会話が終了です。そうではなく、

「年末年始はどんな予定ですか?」

と質問すると会話が広がります。

5W1H型のオープンエンドの質問が見つからないときは、とりあえず何かいってみて、それについてどう思うかを聞いてみるのも一手です。

「いよいよ年末年始、とっても寒くなるみたいですね。どうなりますかね?」

という具合です。

もちろん、オープンエンドの質問がうまく見つからないときには、無理せずＹＥＳかＮＯで答えられる質問をしてください。沈黙が続くよりはいいでしょう。

自己主張の正しい方法

部下「私は、この新規登録者歓迎企画のほうが魅力的なので、そちらに賛成です」
上司「新規登録者よりも、これまでの顧客を大事にするのがあたりまえ。みんな顧客還元企画でまとまりかけているのだから、空気読めないと困っちゃうよ」
部下「すみません。意見を求められたので、あえていったまでで、顧客還元企画が多数ならそれに従います」
上司「そういうことならいいんだけど、なんか気まずくなっちゃったね、申し訳ない。気を取り直してまいりましょう！」

自分の意見を主張するとき、２つのハードルがあります。

１つ目は、相手の反応に対する緊張や不安です。相手にどう思われるか。否定されるかもしれない。「思いやり瞑想」（↓95ページ）や「自分いたわりブレイク」（↓156ページ）

は、このハードルを克服するためのエクササイズです。

2つ目は、緊張や不安をうまくコントロールできても、自分が実際に発言したことでその場が気まずくなるリスクです。自分の意見を主張しながら、円滑に会話するのは簡単ではありません。

この2つ目のハードルを克服するために、**「ケンカしない論点整理話法」**のテクニックを紹介しましょう。

この話法の根幹は、**あなたの人格と相手の人格のガチンコ対立にならないように配慮すること**です。あくまで、意見と意見の違いを建設的に議論していることをはっきりと印象づけるのがカギとなります。

気心の知れた友人と、互いの好きな映画を罵《ののし》り合っているシーン。

「えー、なんであんなのが好きなんだ。信じられない」

「おまえこそ趣味最悪だわ」

と2人で大笑い。

映画への評価がまったく違っても、気心の知れた友人同士なら、人格的な対立には発展しません。

これに対し、先ほどの「新規登録者歓迎企画」の議論は対照的です。ある企画に賛同したときに、「空気が読めない」と叱られた後、「意見を求められたからいったまで」と開き直る。しまいには、気まずい雰囲気に叱ったほうが気づくというバツの悪さ。これは意見の食い違いから、人格と人格のぶつかり合いに発展してしまった悪い例です。

人格対立に発展するケンカを避けるには、意見の違いは考え方の多様性であって、人格対立ではない、という明確なメッセージを相手に発信し続けることが重要です。

そのために、自分も相手も異なる意見の全体像を見渡せるように**「論点を整理しながら」**俯瞰的に、鳥が街を見渡す目線で会話を進めていくことが必要です。

自分の意見も相手の意見も整理しながら、各意見の根拠や問題点を見渡す視点を自然に出せるのが、「ケンカしない論点整理話法」です。

互いに感情的になると議論が支離滅裂になりますが、そうならないようにするには、**「まずは冷静になろう。そして論理的に考えよう」**というのが通常の順序かもしれません。

しかし、「ケンカしない論点整理話法」は、それと逆の順序です。**論理的に考えよう。そうすると冷静でいられる。**

論理的な視点を自然に取り入れることで建設的な対話の姿勢を促す。それが、「ケンカしない論点整理話法」の根幹です。

論理的な姿勢をスマートに取り入れることで、人格対立から自分たちを切り離し、ガチンコのケンカを避ける。これが論理学者の私が自信を持ってすすめる〝**論理の平和利用**〟です。

ケンカしない心がまえ4か条

では、「ケンカしない論点整理話法」を活用する際の4つの心がまえを紹介しましょう。

❶ 感情的にならない

基本中の基本です。先ほどの上司と部下の会話では双方ともに感情的になっていますが、互いにいい意見を出し合い、建設的な議論をしようという姿勢を堅持することが大切です。

❷ 違う意見があることを認める

「意見」というコンセプト自体、考え方の多様性を前提にしています。相手の意見が違うのは、違った人間である限りごく自然なこと。相手の意見は違うという前提で会話に臨みます。

❸ 意見が変わる可能性にオープンになる

会話を重ねていくと意見が変わるときがあります。あなたも例外ではありません。あなた自身の意見が変わってもまったく問題ありません。今の意見をなにがなんでも保持する頑固な姿勢を捨てましょう。

❹ 論理的に暑苦しくしない

あくまでも意見の多様性を整理していく話法なので、論理的になりすぎ、威圧的になったり、相手を追い込んだりしてはいけません。〝論理の平和利用〟を心がけましょう（第6講でも論理的になりすぎることの危険性を掘り下げます）。

「ケンカしない論点整理話法」の5ステップ

「ケンカしない論点整理話法」は全部で5つのステップがあります。

会話の中で次の5点に注意しましょう。

❶ 他の意見に言及する

自分の意見を主張する前に、まず、**これまで出された意見に言及**します。すると、会話の参加者が自分の意見が理解されたと感じられます。

こちらのオープンな理解を示すことで、異なる意見への寛容な態度をアピールできます。

「なるほど●●とお考えなんですね」

「これまで●●という意見が出ました」

と相手の言葉をパラフレーズするだけでも効果的。

意見がたくさん出たときは、共通点や違いを積極的にまとめましょう。

「ここまでの意見は、●●と△△に分けられるかと思います」

といった論点整理は効果絶大です。

これまで決定的な意見が出てこないときは、自分の意見とは異なる意見を考え、あえてその意見に言及してみます。

「◎◎に関してですが、○○といった考えがあるかもしれません」

異なる意見を示すことで、他の意見にオープンな姿勢をアピールしながらも、自分の立場をさらに明確にできます。

❷ 他の意見の根拠や強みを認める

これまでの意見の根拠は何か。どうして議論に値する意見なのか。

根拠はこれまでの会話で提示されていることもあれば、自分で探さなくてはいけないこともあります。

根拠までいかなくても、どんなところが意見の強みかを述べるだけでもいいのです。

「なるほど●●とお考えなんですね。●●が強みですもんね」

「●●という考えに基づき、●●という意見が出されました」

といえば他の意見に言及する際に、根拠や強みを確認することで、論点整理だけでなく、異なる意見を尊重している印象を植えつけられます。

❸ 他の意見の弱みや問題点を指摘する

他の意見と根拠を確認したうえで、可能な反論を考えましょう。

その意見に隠された悪い結果や論理的矛盾など、なんでもかまいません。

その反論を意見の弱み、解決しなければいけない課題として提示しましょう。

「でも、ちょっと引っかかるのが、●●が問題になりうることです」

「●●というふうに反論する人もいるかもしれません」

ここで大切なのは、**決して異なる意見を完全否定してはいけない**こと。**自分の意見は常に変わるかもしれないというオープンな姿勢**を忘れないようにしましょう。

❹ 自分の意見とその根拠を示す

❶～❸を経て、今度は自分の立場を示します。

そのときに気をつけるのは、自分の意見を絶対的なものとして表現しないこと。

こんなふうにいってみましょう。

「でも、ちょっと引っかかるのが、●●ということが問題になりうることですよね？

そのあたりの問題を考えると、私はとりあえず●●という立場になります」

他の意見の問題点を自分の立場の根拠として挙げつつ、**「とりあえず」「立場を取る」といった対立に発展しにくいフレーズ**にするのです。

これまで出てきた意見に賛成する場合でも、その他の意見、根拠、問題点をまとめたうえで、自分の賛成意見を根拠づけるのが効果的です。

❺ 異なる意見にオープンな姿勢を再確認する

自分の意見を述べた後、他の意見にもオープンである姿勢を再度明確にしましょう。

自分の意見を述べた後に、こういってみます。

「でも、この立場はこの立場で、●●という問題もあるんですよね」

また、さらなる意見を促す姿勢も効果的。

「私はこう思うのですが、●●さんはどう思いますか？」

と自分の発言を問いかけで終わらせることもアリです。


以上、「ケンカしない論点整理話法」の5ステップをまとめてみましょう。

❶ 他の意見に言及する
❷ 他の意見の根拠や強みを認める

❸ 他の意見の弱みや問題点を指摘する
❹ 自分の意見とその根拠を示す
❺ 異なる意見にオープンな姿勢を再確認する

これら全ステップを発言に盛り込むと、次のようになります。

「なるほど●●とお考えなんですね。●●が強みですもんね。
でも、ちょっと引っかかるのが、●●が問題になりうることです。
そのあたりを考えて、私はとりあえず●●という立場を取ります。
でも、この立場はこの立場で、●●という問題もあるんですよね。
どう思いますか？」

この発言のどの部分がどのステップに当たるか、再度確認してみてください。

毎回、5ステップを発言に盛り込んでいくのは困難なので、各ステップを意識しながら、削ぎ落とすところは削ぎ落とし、適切に使ってみましょう。結構武器になります。

◉「ケンカしない論点整理話法」で自分の考えにたどり着く

さて、「ケンカしない論点整理話法」は、本講冒頭で触れた、日本人が苦手なコミュニケーションとして挙げた「あるテーマについて、掘り下げて会話をすること」の克服にも有効です。

テーマを掘り下げていくうちに、自分の意見を表明するタイミングがくる。そんなときは「ケンカしない論点整理話法」の出番です。

一方、何かのテーマを掘り下げるとき、自分の意見がないこともあります。それではテーマを掘り下げるのが難しい。

そんなときでも「ケンカしない論点整理話法」が威力を発揮します。

テーマを掘り下げるとき、自分の意見を最初から持っている必要はありません。意見がないときでも「ケンカしない論点整理話法」の❶～❸のステップを意識し、他の人の意見を尊重しながら根拠や反論を考え、会話を進められるのです。

❶～❸までで、

「なるほど●●とお考えなんですね。●●が強みですもんね。

でも、ちょっと引っかかるのが、●●が問題になりうるところでしょうか？」

といいながら、
「この問題はどう解決しますか？」
「どう思いますか？」
といえば、議論に積極的に参加できます。

そうやって議論の中に出てくる様々な意見や根拠を理解していくうちに、あなた自身の意見が見つかるのもこの方法の長所です。

議論の中で他の人の視点に触れることで、自分の意見を思考する。ケンカではなく、相手の力を利用する「柔よく剛を制す」の精神で〝論理の平和利用〟を進めるのです。

「ケンカしない論点整理話法」により、自分の意見を主張しやすくするだけでなく、**自分の意見を主体的に考える心の習慣**がつくのです。

プレゼンは「前」と「後」が肝心！

効果的なプレゼンをするコツは何でしょう？

じっくりと時間を取ってプランをつくる。要点を簡潔に、論点を明確に。そして、資料が準備できたら、後は練習あるのみ。熟練プレゼンターは日々の練習を欠かしません。即興芸のような彼らのプレゼンも練習の賜です。

プレゼンを丁寧につくり上げるだけでは成果が挙がらないかもしれません。見落としがちなのは、プレゼンの発表「前」と「後」。その準備が勝負を分けます。

プレゼン「前」と「後」の準備のカギは2つあります。

1つ目は緊張・不安のコントロール。これについては「1回5分！ 自分いたわりブレイク」（→156ページ）を紹介しました。

ここではプレゼン用に、もう一つ強力なエクササイズを紹介します。過去のプレゼン時の失敗や緊張感が「トラウマ化」している方に有効です。

前述した**「自分をいたわる力」のネフ准教授考案の「自分をいたわる手紙エクササイズ」**を巻末プレミアム・エクササイズの14～15ページに紹介しておきました。

プレゼンだけではなく、スピーチなどにも効果テキメンです。ぜひお試しください。

2つ目のカギはQ＆A。

発表後の聴衆とのQ＆Aはプレゼンで最も重要な要素です。即興なので、プレゼン者の人柄や本音が出やすく、最後にあるので聴衆の印象を大きく左右します。

私はスタンフォードの大学院生時代、まわりのプレゼン上手な学生たちに感化され、スキル改善に力を注いでいました。

しかし、Q&Aはなかなかモノになりませんでした。

プレゼン内容を批判されたり、まったく理解していない質問に出くわしたりすると、あわててしまい、気の利いた応答ができない。発表途中で質問されるケースもあり、話の腰を折られてイライラしてしまうこともよくありました。

プレゼンに関する知識はプレゼン発表の準備段階で習得できますが、プレゼン後のQ&Aでどんな態度で応えるかは、対策が難しいところです。

プレゼン後のQ&Aの克服に、世界60か国以上で出版された『How to Have a Good Day』[49]の著者、キャロライン・ウェッブの提唱する質疑応答術を紹介しましょう。

この方法は「共感する力」をベースにしています。名づけて**「エンパシーQ&A術」**[50]。

シンプルでプレゼンター心理をサポートする要素がふんだんに含まれており、非常におすすめです（大学院時代の私に見せてあげたい）。

聴衆からの質問へ「エンパシーQ&A術」

聴衆からの質問に思いやりを持って応えられるよう、次の4点に注意します。

❶質問があること自体を感謝する

プレゼン時に誰かが手を挙げたり質問したりしたら、それはプレゼンがうまくいっている兆候だと受け止めましょう。

プレゼンをしたのに何も反応がなかったら最悪です。質問してくれたのは、あなた自身か、あなたの言動に興味を持っているからです。

まずは、質問者に感謝しましょう。

質問者から挙手があったら、「よし、興味を持ってくれている人がいるんだ」と前向きにとらえます。そして、こちらからの第一声で相手の質問を次のように感謝しましょう。

「ご質問ありがとうございます。まさに鋭いご指摘です」

「素晴らしい質問です。問題を提起していただきありがとうございます」

この後に、自分の返答を述べ始めましょう。

❷聞き手に対するエンパシーを発揮する

質問者は、あなたをこらしめようとしているのではありません。あなたのプレゼン内容を自分自身に役立てようと必死なのです。

プレゼンのコンテンツを準備するとき、聞き手のことを想像し、自分のプレゼンを聞いたときにどう反応するかを、具体的にイメージしてみることが大切です。

聞き手の職業、プレゼンを聞きにくる理由、そもそもどんな関心やニーズを持っているのか、聞き手がどんな気持ちでどんな質問をするのかなどを事前にイメージトレーニングしておきましょう。

そうすれば、質問がきたときに、聞き手の心を感じ取りながら、エンパシーを持って質問に答えやすくなります。

❸ まずは相手に同意する

聞き手の質問が自分の視点と違う反論の場合でも、まずは互いに同意できる点から答えます。

「なるほど●●ということでは同じ立場のようです」

と始めた後に、自分の視点との違いを丁寧に説明します。

共通点が見出しにくいときでも、「アクティブ・リスニング」のパラフレーズ（↓89ページ）を使い、

「ご質問を私なりに解釈すると●●ということですよね」

といって相手の意見をまず理解したことを示してみましょう。

可能な限りエンパシーを持ってコミュニケーションする土壌をつくることが大切です。

❹ 相手の関心に関心で返す

Ｑ＆Ａの中には、プレゼン内容に直接関係ないものもあります。

そもそもそれ以前に、質問内容や意図が理解しがたい場合もあるでしょう。でも、

「質問の意図が理解できません」

という反応で冷たい印象を与えてはいけません。

「興味深いご指摘ありがとうございます。

こちらで適切にお答えできるよう、もう少しご説明いただけますでしょうか」

と自分のプレゼンに関心を持ってくれた相手に、こちらも関心を持って返しましょう。

著者のつぶやき

聞いて伸ばす！ギフティッドな天才児たちの教育法

初対面、熱い議論、プレゼンと、いろいろなコミュニケーションの場面に「生き抜く力」の基本要素を応用してきました。

本講の最後に、私の本職、「『アクティブ・リスニング』を応用した教育法」についてハイライトしていきたいと思います。

生徒や教師など様々な役割の人たちが一堂に会する。教師から生徒への講義。生徒から教師への質問。生徒同士のディスカッションやグループワーク。双方向の有機的な対話が質の高い学びにつながります。

そもそも**教育の根本は対話にある**のです。

教育現場では、それぞれの生徒が自分を表現でき、安心して話せ、教師たちが積極的に耳を傾ける。そんな環境が求められます。その意味で、「アクティブ・リスニング」と教育は切っても切れないものです。

しかし、現在の教育現場では、教師から多数の生徒への一方向的な授業が主流となり、教育の本質である「対話性」が見失われがちです。

そこで、教育の「対話性」に改めて目を向け、「アクティブ・リスニング」を意識的に取り込むことがさらに重要になっています。

また、アメリカでは、「アクティブ・リスニング」は、ギフティッドな子どもたちの教育にも活用されています。

「ギフティッド」とは、「ギフト」つまり「授かりもの」として才能を持つこと。ギフティッドな子どもたちへの「ギフティッド教育」はアメリカで大きく発展してきました。

私の運営するスタンフォード大学・オンラインハイスクールもギフティッドな生徒たちのサポートを実践しています。

ギフティッドな子どもたちは、ある特定の物事への執着が強く、他の生徒とは違うユニークな視点で物事をとらえる傾向があります。

そのため、決まった枠組みの中で考えることを拒絶したり、普通のやり方とは違った方法を選んだりしがちです。

教える側の親や教師は、そうしたギフティッドな子どもたちの自然な営みを妨げることのないようにサポートしなければいけません。一般的なやり方や考え方を押しつけるだけでは、せっかくの才能が摘み取られてしまいます。

子どもたちの考え方やニーズをよく理解しながら、適切にサポートしていくためには、「アクティブ・リスニング」の技術が非常に有効です。スタンフォード大学・オンラインハイスクールの学習環境にも欠かせない要素の一つです。

「聞き取る力」で子どもたちをよく理解して信頼関係を築き、最良のサポートをしてあげましょう。

教育現場で使える「アクティブ・リスニング」

◉基本の考え方

まずは、子どもが「学びの主体」であることを意識します。

そのうえで、できる限り「こうこうこうだからこうでしょ」と、考え方や問題の解き方を一方的に押しつけないように意識します。


「ここはどうやる?」

「これはどうかな?」


といった問いかけで、子どもが次の一歩を自分で考え、表現できる機会を増やすこと。

こちらから手取り足取り教えるのではなく、子どもが自分で学習をリードしていくのが理想です。

とはいえ、理想は理想。そうはじめからうまくいくわけではありません。

そもそも子どもが最初から学習を主体的にリードしていけるなら、学習指導やサポートもいりません。

「こうこうだからこうでしょ」が必要なときはやむをえません。

ただ、それをできるだけ使わないように意識して子どもと対話していくことが肝心です。

子どもが主体的に学習をリードできるようになるまでには時間がかかります。辛抱強く長い目で、サポートしていくことが大切です。最初はうまくいかないかもしれません。それでも目に見えないながらも進歩が必ずあります。根気強く続けていきましょう。

◉子どもの主体的な学習をサポートする話の聞き方

以下の「アクティブ・リスニング」の要素を意識して子どもの話を聞きながら、学習をサポートしましょう。

DO

会話で意識する「4つ」のこと

❶ パラフレーズ：同意しつつ修正してあげる

子どもが話したら、

「なるほど、●●ということだね」

と子どもの考えをいったんパラフレーズしましょう。

子どもがうまく表現できないところや、いい直すべき箇所があっても、

「違うでしょ。●●でしょ」

はダメ。

こちらで修正を加えた場合でも、子どものいったことを肯定しながら、

「そうだね、●●ということだね」

とパラフレーズしてあげましょう。

❷ クエスチョン：確認と誘導にオープンエンドの質問を使う

子どもの言動の中で、重要なポイントについて質問しましょう。

子どもが重要ポイントをしっかり理解しているか確認できます。

ここで子ども自身の理解があいまいなときは、さらにこう質問しましょう。

「●●といったけど、どんな意味だっけ？」

「●●のことをもう少し教えてくれる？」

といった具合に、あくまでも質問の目的は、子どもが話していることの意味を確認したり、さらに詳しく聞いたりすることです。くれぐれも子どもの考えを非難しているように聞こえないように。

もし子どもの話が行きづまったときは、次のステップに誘導する質問をしましょう。

「●●なんだけど、どう思う？」

「●●としてみると、次は●●。どうするかな？」

と次のステップのヒントを出しつつ、子ども自身で主体的に考えられるオープンエンドの質問を心がけましょう。

❸ エンパシー：叱り方やほめ方にも注意する

子どもの考えに共感を示しましょう。

「なるほど」

「その考え方はとってもいいね」

など簡単かつこまめに共感を表現していきましょう。

子どもの間違いを正すようなときには、特にエンパシーを持って対応してください。

まず、間違いを正すときには、

「なんで、また●●を間違えるの！」

「こんな簡単なところでつまずいてどうする！」

と叱りつけてはいけません。

こうすると、勉強すること自体が嫌になってしまいます。

間違いを、その子が何かをやってみた証ととらえ、まず、そのチャレンジをほめることから始めましょう。

「なるほど、そう考えたんだね」

「うんうん、そのやり方よくわかる。本当によく考えたね」

とやさしいひと言をかけましょう。


そのうえで、どうやって問題解決するかを具体的に説明します。

その際、冒頭の「基本の考え方」を使い、

「こうこうだからこうでしょ」

を避け、子どもに考えさせながら進める対話法を心がけましょう。

子どもをほめる際には、

「●●はよくできた」

「●●というのが素晴らしい」

と子どものやったことや考え方の結果だけをほめるのではなく、子どもの性格や内面につながるほめ方をすることが重要です。

「慎重に細かく考えられたね」

「辛抱強く努力できたね」

といえば、子どもが取り組んだ個々の問題や課題を超え、持続的な人格形成や自己認識につなげることができます。

❹ フォーカス：子どもの話に集中していることを示す

パラフレーズ、クエスチョン、エンパシーを会話の中に取り込んでいくと、こちらが子どもの話に集中していることを示すことができます。子どもの目を見ながら、**「うん」「いいね」**など細かい相づちも入れていきましょう。

DON'T

会話の中で意識して避ける「4つ」のこと

❶ 決めつける

子どもの考えを突拍子がないとか、バカげているなどと決めつけてはいけません。たとえそう感じるときでも、どこかにいい考えが隠れているのではないかという姿勢で接しましょう。

「うんうん、なんだか面白い考えだね。もう少し話してくれる？」

さらに質問しながら、子どもの考えを発展させましょう。

実際、子どもの考えがバカげていると感じるときは、その問題の本質をついていることも多く、バカげていると一蹴することのほうが、バカげていることがしばしばあります。

自分はそうならないという決意で対応していきましょう。

❷ 話の腰を折る

子どもが話しているときに、途中で割って入り、話を妨げてはいけません。

子どもが脱線したり、間違えた方向に進んだりしても、できるだけ最後まで聞いてから正してあげましょう。間違えることを回避するように誘導してはいけません。

子どもが考えているときは、ヒントを出して次に進めてあげたいものですが、グッとこらえて、子どもが自分で考えられるスペースとチャンスをできる限りつくってあげましょう。

❸アドバイスする

子どもの考えに対し、コメントや質問をしながら学習を進めていくのを基本とします。子どもの主体的な考え方をサポートする姿勢が大切です。強引にアドバイスやヒントを与えるのは避けましょう。

新しい考えや違うやり方など、子どもの考えと違うことを示すときにも、

「●●と考えてみたらどうだろう」

「違うやり方でできるかな。たとえば●●」

など、子どもが自分の足で一歩ずつ新しい考えや、新しいやり方に進めるのが理想です。

❹否定する

子どものいっていることを「それは違う」と直接否定するのを極力避けましょう。

「そうしたらこうなっちゃうよね、どうかな？」

と子ども自身で間違いに気づけるようにしてみてください。

子どもに「アクティブ・リスニング」を促す方法

大人が子どもに「アクティブ・リスニング」を活用するだけでなく、子ども自身も徐々に「アクティブ・リスニング」の姿勢を養っていけるようになるのがベストです。

他の生徒や教師の言動を理解し、アクティブな対話に参加できれば、より質の高い学びが得られます。まさに「生き抜く力」がついてくるのです。

そのためにまず必要なのが、子どもをサポートする側の私たちが「アクティブ・リスニング」を日常会話から積極的に実践していくことです。

子どもの話の腰を折らずに、集中して聞く。相手のいったことをまとめて理解を確認したり、わからないところを丁寧に聞いたりする。ポジティブな態度をキープして決して否定しない。

大人の姿勢を子どもはよく観察していて、反復しながら学んでいきます。私たち自身が子どものロールモデルであることを常に意識しましょう。

子どもに話をするときに、「アクティブ・リスニング」の技術を駆使し、集中を促す仕掛けを意識的に準備するのも効果的です。

「これから話すことをまとめてもらうから、よく聞いていてね」

とパラフレーズを促す仕掛けを前もって伝えておくと、子どもが自然と話に集中できるように誘導できます。

その他にも、

「この話の後に質問をしてもらいます」

とか、エンパシーなら、

「面白いと思ったことをいってもらいます」

など話の後に子どもにやってもらうことを宣言して、話を聞く目的を事前に伝えることが有効です。

これ以外にも、子どもの「聞き取る力」を養うエクササイズは無数にあります。

「伝言ゲーム」は昔からある伝統的なエクササイズの一つです。

「今から同じ話を2回するけど、2回目に間違いが3個あります」といった話の間違い探しもよく使われています。

興味のある方は、子どもや教育現場に合った方法を積極的に探してみましょう。

さて、「生き抜く力」で極上のコラボやコミュニケーションの力を発揮しても、人生は一筋縄ではいきません。

コラボが暴走したり、コミュニケーションがうまくいかず、人間関係がもつれてしまったりすることもあります。

そうした、関係がさらに悪化して「天敵」をつくってしまうこともあります。「天敵」といかないまでも、ちょっと苦手だったり、やりにくい人たちと、うまくつき合っていかなくてはならないこともよくあるはずです。

次の第6講では、「天敵」を戦略的に「思いやる」生き抜く方法を一緒に考えていきたいと思います。

THE POWER TO SURVIVE

第6講

スタンフォード式「許す力」で世界中の“天敵”を思いやる

★ ★ ★

スタンフォード大学の「許す力」プロジェクト

ここは大忙しの空港管制塔。あなたはそこの管制官だ。スクリーンには多くの着陸準備中の飛行機が映し出され、ヘッドフォンから操縦士たちの声があなたを急《せ》かす。ふと、いくつかの飛行機は、ずっと着陸できずに上空を回り続けていることに気づく。それはあなたの未解決の悩みだ。

あなたの飛行機だけは飛び続け、大事な空港空域を占領している。あなたが悩んでいると、他の飛行機は着陸できない。緊急事態発生時に設けるべきスペースもいつもより小さくなっている。そうすると事故の確率も上がる。

焦りで、さらなるストレスと疲れが襲ってくる……。[51]

スタンフォード大学の「許す力プロジェクト」（Stanford Forgiveness Project）をご存じでしょうか。

人を許すとはいったい何か？

人を許す効用とは？

人を許す力を持つにはどうすればいいか？

この「許す力」に関する大型研究プロジェクトを指揮してきたのは、スタンフォード大学のフレッド・ラスキン准教授です。

ここで紹介した「悩む飛行機」のエピソードは、ラスキン准教授が「許す力プロジェクト」の研究結果をまとめた著書『Forgive for Good』（邦訳『「あの人のせいで…」をやめると人生はすべてうまくいく！』ダイヤモンド社）にある冒頭の話です。

職場や交友関係のトラブルを抱えていると、仕事も手につかず、レジャーも楽しくありません。さらなるストレスで心も体も疲弊します。

そうした状況が続くと、他人との敵対関係にも発展しかねません。

相手に怒りや敵意を感じると、極上コラボどころではありません。心臓病や高血圧、免疫力低下など健康リスクも高まります。

人生に悩みや「天敵」はつきもの。しかし、ストレスで体を壊してしまっては「悩み」や「天敵」の思うツボです。

ラスキン准教授によると、人を許すことは、相手の悪い行為をなかったことにしたり、相手を大目に見たりすることではありません。

許すとは、復讐心を解消し、悩み、怒り、悲しみなど自分の心の中の主観的な気持ちを

変化させ、心に平和を取り戻すことです。

世界中の「天敵」をうまく思いやる方法を身につけると、人生がラクになり、充実した人生で健康になります。

本講では、無敵の戦略「天敵の思いやり方」を紐解いていきましょう。

「共感する力」で心の乱れをポジティブ変換

新人教師のクリスティーナは、保護者に採点基準をなるべく冷静に伝えているつもりでしたが、「ドキンドキン」と自分の胸の鼓動を感じて徐々にナーバスになってきました。

クリスティーナ　「学年のカリキュラムで設定された基準でその論文を採点すると85点。それを中間・期末テストの結果と平均すると89点になるので評価は『B＋』。Aがつくのは90点以上です」

これを聞いた保護者は、電話越しに怒り心頭。

保護者「論文の採点なんて基準があっても結局は主観でしょ。うちの子、このクラスが苦手で夜遅くまで論文に取り組んでいたんです。A以外の評価で、大学受験に悪い影響が出たら、どうしてくれるんですか！」

クリスティーナは息を深く吸い込んで声を絞り出します。

クリスティーナ「息子さんの頑張りはクラスメイトの間でも評判です。しかし、採点は努力でなく、論文自体に対する評価です」

保護者「だから！　努力が論文にも表れているじゃないですか！　私も夫もクラスで配布された基準に合わせて論文を読んでみました。論文自体、85点なんてありえない！　夫は大学教授、私は弁護士。私たちの評価が間違っているとでもいうの？」

クリスティーナ「学校の基準をよく理解している英語科の他の教師にも読んでもらい、85点が妥当という結論になりました」

堂々巡りで1時間、さすがにクリスティーナも限界です。

保護者「だいたい、なんで中2からこんな古典のテキストばかり読ませるんですか？　隣の有名校ではどんどん新しい作品を読ませて現代的な視点を養おうとしている。こんな変わったカリキュラムをやらされたうえに成績を下げられ、子どもの未来まで奪われる。心配で仕方ないですよ。親の気持ちになったこと、あなた、あります？」

クリスティーナ「……」

行きづまったクリスティーナが、どうやって受話器を置いたかは不明です。

このエピソードは10年以上前、全米私立学校のカンファレンスでシェアされたものです。「いじめっこ保護者との難しい会話の仕方」と題された発表でした。

日本でも「モンスターペアレント」が話題ですが、アメリカでも理不尽なクレームで教師や学校を困らせる保護者が社会現象化し、問題となっています。そのため、各学校でどんな対策をしたらいいかという発表内容でした。

相手に厳しいことを伝えたり、敵対する相手と話したりする。英語では「難しい会話」(Difficult Conversations）と呼ばれますが、ビジネスはもちろん、私生活でも、珍しいことではありません。

当時、「いじめっこ保護者」セッションは大にぎわいで、立ち見の参加者が通路を埋め尽くしていました。

発表チームの精神科医が、クリスティーナのエピソードを紹介した後、「このエピソードのように、いじめっこ保護者とは、電話での会話がおすすめです。なぜなら、いつでも気にせず、ガチャンと切れるからです」といった瞬間、会場は笑いに包まれていました。


このジョークの真意はこうです。

電話で相手を一方的に怒鳴りつけては、さらに激昂させてしまう。すると自分の心や体にもよくない。そうなるより、一度電話を切って気持ちを落ち着かせ、上司に助けを求めたほうがいい。電話を切ったことは後でわびることができるし、場合によっては「回線トラブルで切れてしまった」といったっていい。

ストレスに強くなるラスキン式「PERT法」

人生は、トラブルや「難しい会話」の連続。クリスティーナのエピソードは教育現場に限ったことではありません。

自分の健康を害しては元も子もないので、今こそ自分に合ったストレスマネジメントのテクニックを護身術としてマスターしておきましょう。

前述した「共感する力」のトレーニングである「思いやり瞑想」（→95ページ）は、ストレスマネジメントに絶大な効果を発揮します。

しかし、「思いやり瞑想」は定期的なトレーニングで強い心をつくっていくもので、時間がかかります。また、どんなに強い心を持っていても、気が動転してしまうことは誰にでも起こりえます。

そこで、より多くのストレスマネジメントのテクニックを身につけたいという方のために、スタンフォード大学の「許す力プロジェクト」のラスキン准教授がすすめる**「ポジティブな感情に再びフォーカスするテクニック」**(Positive Emotion Refocusing Technique)を、巻末プレミアム・エクササイズの15〜16ページに掲載します。

頭文字をとって**「PERT法」**です。

気持ちが動転したときでも、必ず心が落ち着く簡単な方法です。ぜひお試しください。

しかし、「PERT法」など、ストレスマネジメントのテクニックは、いったん動転した気持ちを落ち着けるもので、自分の悩み自体を解決したり、天敵との関係を改善させたりはしてくれません。

そこで、次に、トラブル相手との関係を維持していく方法を具体的に見ていきましょう。

天敵と戦う前の心がまえ

先ほど紹介した「いじめっこ保護者との難しい会話の仕方」の発表に触発された私は、スタンフォード大学・オンラインハイスクールに戻ってくるとすぐに、**教職員用の難しい会話トレーニング**の作成を始めました。

心理学の実用テクニックに加え、保護者たちが「モンスターペアレント」になる背景を研究。実体験やビジネス理論を織り交ぜ、シンプルなプログラムをつくりました。

あれからもう10年以上が経ちますが、そのプログラムは、今でもスタンフォード大学・オンラインハイスクールの新人教員トレーニングや教職員のワークショップに活用されています。

「難しい会話」は、アメリカでは大切なビジネススキルとして認知されているので、一般向けのセミナーや講演も好評です。

ここでは、特別に、そのトレーニングをギュッと濃縮して紹介しましょう。

キーコンセプトは**「生き抜く力」とラスキン准教授によるスタンフォード式の「許す力」**。本講の最後に紹介する**スタンフォード式「最高の許し方」９ステップ**（↓220ページ）をふんだんに取り入れた内容になっています。

まずは「天敵」と「難しい会話」をする前にやるべきことがあります。

なんでも準備なしでは戦えません。戦う前に正しい心がまえが必要です。

「許す力」をいつも意識し、「思いやり瞑想」や「ＰＥＲＴ法」などを駆使しながら、**日頃からストレスマネジメント法を総動員**しましょう。

そうした方法で強い心を手に入れ、心を落ち着かせたうえで、次に、自分の気持ちを見つめ直します。**自分は何に怒りやストレスを感じているかを見つける**のです。

具体的に、相手のどんな行動や発言に対してストレスや怒りを感じているのか。

漠然とした感情から一歩踏み込み、具体的な事柄に自分の感情の原因を見出します。

「いじめっこ保護者」のエピソードでは、クリスティーナにとって、「保護者が自分の評価に疑問を投げかける」「自分のカリキュラムを非難される」「ひどい剣幕でまくしたてられる」などがストレスにつながった行動かもしれません。

次に、なぜ、相手はあんな行動や発言をしたのか。

相手目線で起きたことを想像してみましょう。

「共感する力」を炸裂させ、じっくり考えます。

クリスティーナの場合なら、保護者からの目線を想像します。

自分の子どもの将来を強く思う気持ちが爆発するのは教育現場では日常茶飯事。不適切な言動はいけませんが、子どもの未来を考え、サポートする気持ちは、教え子の成功を願うクリスティーナも同じはずです。

自分と相手の共通の土壌が見えると、相手の気持ちに寄り添いやすくなります。

相手の気持ちを想像しにくいときは、第3講の「共感する力」のトレーニングで紹介した「似ているところのリストづくり」（↓98ページ、巻末プレミアム・エクササイズの10〜12ページ）を試して、相手との共通性や違いを見つめ直すのもいいでしょう。


そのうえで、**自分を救うヒーローのつもりで、自分の気持ちを建設的に解釈し直す**心の作業に入りましょう。

相手に対する怒りや憎しみ、敵対心は、究極的には自分の心の働きによるものです。

そのきっかけとなった相手の行動や発言があったとはいえ、結局は自分の中にある感情の問題です。

その感情を建設的に解釈し直し、新しい心がまえを得ることは、自分にしかできないことなのです。

スタンフォード式「許す力」のカギは、**自分をネガティブな心の状態から救う救世主（ヒーロー）は自分しかいない**ということです。

相手の行動や発言に怒りやストレスを感じるのはなぜか。

それをじっくり見つめ直し、自分の心がまえを建設的な方向に調整する。人間関係のさらなる悪化を避ける。自分が自分のヒーローになったつもりで、ネガティブな感情をポジティブに解釈し直す。

なぜ、クリスティーナはストレスを感じなければならなかったのか。教育者ですから、何があろうとも、辛抱強く説明しなければなりません。

ひどい剣幕でまくし立てられると、ストレスになるのはなぜか。的外れなことを理由に怒鳴り立ててくる相手に、なぜ腹を立てるのか。理性的な議論ができない相手を落ち着かせ、健全な会話ができるよう、心の風向きを変えていくヒーローになれないか。自分の現在の感情の原因をどう解釈するか。

クリスティーナは、教育者として自分の評価やカリキュラムに自信を持つべきです。その気持ちで自分の感情を解釈し直す機会を見つけたい。最大のヒーローは自分自身なのです。

「難しい会話」の「シャドーボクシング」で冷静に備える

さて、まずは気持ちを落ち着けて、天敵への気持ちを整理し直したら、正しい心がまえで、「天敵」との「難しい会話」に挑みましょう。

「難しい会話」では、ガチンコのケンカ殺法で攻撃的に会話を進めてはいけません。その場で相手を完膚なきまでに叩きのめしても、後々しこりになって敵対関係が悪化しかねません。「天敵」との会話でも、**常に「許す力」と思いやりの「共感する力」を意識**するのが肝心です。これまで培ってきた正しい心がまえをもとに、相手とともに建設的な会話を築き上げましょう。

「天敵」を思いやり、流血なしで「難しい会話」をするには具体的にどんなコツがあるでしょうか。ここでじっくり見ていきましょう。

◉会話の目標を定め、会話を外側から見る視点を設定

ミーティングや面談など「難しい会話」の予定が決まったら準備をしましょう。

そのために、まずは、目標設定をします。その会話で何を成し遂げたいのか？　説得、合意形成、決定の伝達、意見交換。時には、相手にとことん話させ、鬱憤《うっぷん》をはらしてもらうことも必要かもしれません。

「難しい会話」のときには、常に設定した目標を思い出しながら会話の筋をたどりましょう。

目標から外れた部分で対立を深まらせてはいけません。目標からズレ始めたら、会話の筋を目標へ向けて軌道修正する必要があります。

設定目標を常に意識することで、感情的にならずに客観的に自分自身を見つめる姿勢を保てます。

◉会話の「シャドーボクシング」で不安やストレスを軽減

ここで、あなたも、新人教師クリスティーナになりきってみてください。

例のモンスターペアレントと、再度「難しい会話」をすることになりました。

前回の電話の後に、英語科の上司と相談した結果、論文の評価の見直しはできないこと

が決まりました。その決定をあのモンスターペアレントに伝えなければいけません。

会話の目標は「こちらの決定を伝え、相手の話を聞き、相手に不服があれば上司に異議申立てをしてもらう」と設定しました。


いい感じです。ここまできたら、次に、「難しい会話」のシミュレーションをしてみます。

「難しい会話」を一人でやる「シャドーボクシング」です。


会話のはじめは、どうするか。

相手は最初から好戦的にくるか。それとも冷静にくるか。

それに対し、自分はどう切り返していくべきか。

「評価は変更できない」と伝えたら、どんな反応が返ってくるか。

それに対して自分はどう対応すべきか。

前回は、1時間話した後に、モンスターペアレントは、

「他の有名校に比べカリキュラムが古くさい」

といってきた。

また、そちらの方向に話がそれてしまうか。

脱線しないよう、冷静に会話を進められるか。

様々なシナリオを想定し、自分の気持ちや相手の出方などを想像して戦略を立てます。事前のシミュレーションは、緊張や不安のマネジメントに非常に効果的です。「難しい会話」の「シャドーボクシング」で最高の準備を整えましょう。

主観と客観のスイッチで、同じ目線での建設的な対話を

次に、実際の「難しい会話」はどうこなせばいいのでしょうか。
まず、流血試合にならないよう、できるだけいい雰囲気で会話を進めたいところです。

◉ポジティブな事柄には「おもいっきり」主観のスイッチをオンに！

ポジティブなことを相手と共有しましょう。喜びや感謝などポジティブなことならなんでもOK。
このとき、客観的な表現ではなく、**自分の気持ちをおもいっきり出した主観的な表現をすることが最も重要**です。

クリスティーナに対し、モンスターペアレントが、「息子の努力は尋常でなかった」と指摘した場面がありました。クリスティーナは、「息子さんの頑張りはクラスメイトの間

でも評判」だと同意しました。

生徒の大変な努力というポジティブなことにもかかわらず、クリスティーナは「クラスメイトの間でも評判」と客観的な視点で同意してしまったのはもったいない。これではクリスティーナの主観的な気持ちがまったく出ていません。


こういうときこそ、主観のスイッチをオンにして、

「お子さんの努力にとても感動しました」

「ものすごい努力で圧倒されました。嬉しかったです」

と、**自分の気持ちを強調していく**必要があります。

ポジティブな気持ちを自分の気持ちとして表現すると、相手との距離が縮まります。

「難しい会話」では、自分と相手が**互いにポジティブな感情を共有している実感を意図的につくり出す**ことが肝心です。

◉ポジティブな話で始める効果

「難しい会話」の冒頭では、特にポジティブなことを主観的に表現するのが大切です。

天敵と相対するわけですから、どれだけ下準備をしても緊張するものです。それは相手だって同じ。まずは、相手に対するポジティブな気持ちを自分の本心として表現しましょ

う。

「ミラー効果」で、人間は感謝してくる相手に感謝の念で返したくなるものです。ポジティブな話から始まると、ポジティブな会話が続きやすくなります。

「今日は時間を取っていただき、ありがとうございます」

「これまで緊密な連絡をありがとうございます」

「今日、もう一度お話しできる機会をいただき、嬉しく思います」

など、どんなことでもかまいません。


これまで敵対関係だったのに、突然、感謝の念を示すのは難しいかもしれません。しかし、そうしにくい相手ほど、ポジティブな話から入る必要があります。

相手への感謝の言葉をおもいっきり発しましょう。どんな相手でも、常にポジティブに攻めきるのです。

◉ネガティブには「客観スイッチ」をオン

ポジティブなことは自分の気持ちとして主観的に表す一方、相手にとって厳しいことや相手の意にそぐわないことは、客観的な基準に照らして自分の気持ちとは切り離しながら話しましょう。

主観的にネガティブな気持ちをぶつけてしまうと、相手との敵対関係を悪化させてしまいます。

クリスティーナに対してモンスターペアレントは、

「子どもが夜遅くまで勉強しているのに評価が悪くて心配だ」

「古典を使ったカリキュラムが心配だ」

とネガティブな自分の気持ちをあらわにして、クリスティーナとのあつれきを深めました。ネガティブな事柄に対し、主観的で感情的な評価を相手にぶつけ、ムダに敵を刺激するのは得策ではありません。

「勉強のため朝3時まで起きていた」

「この学校以外の近隣の学校では授業で古典を使っていない」

などファクトベースの客観的な表現に限定すること。「心配だ」というネガティブな主観的評価は極力避けること。

このように、ネガティブな事柄には「客観スイッチ」を入れるだけで敵対的な印象を弱めることができます。

◉敵と自分の共通の土壌を模索する

対立相手との「難しい会話」では、共通の議論の土壌が必要です。

共通の議論の土壌があると、相手と同じ目線で課題に取り組む姿勢を印象づけられます。

ネガティブな話をするときほど、ファクトや客観的な視点を使いながら、相手と同じ土壌で議論しましょう。

すでに起きたことは、自分にも相手にも不変の事実。共有できる会話の土壌になります。

個人的な話で恐縮ですが、私自身、ひどい夫婦ゲンカをして気分悪く学校に出かけたことがあります。そのとき、スタンフォード大学・オンラインハイスクールの教員が、

「まだ夫婦同士で会話をしようと思っているだけいいじゃないですか。会話さえしようとしなくなったら終わりですよ」

と慰《なぐさ》めてくれました。

クリスティーナもモンスターペアレントも、生徒をベストな形でサポートしたいという目標を共有して互いに会話する意図があったのです。

共通の土壌を見つけ出すことを心がけて会話を進めましょう。

論理学者だけどいっちゃいます！論理の限界と正しい使用法

さて、「難しい会話」には気づきにくい〝落とし穴〟があります。

みなさんも、相手に隙を与えずに有利に話を進めていくために、つい理論武装して途中で議論を押し切ろうとしたことはありませんか。

「天敵」との感情がぶつかり合う場では、論理的になることは要注意です。対立が生じたときに、客観的なファクトとロジックベースの議論は大切ですが、使用法を間違うと痛い目に遭います。

正論やルールを駆使して、相手をアグレッシブに攻め立てるのはもってのほか。そんなことをしては、相手の敵意や怒りを助長し、「天敵」がさらに「モンスター化」してしまいます。

以前、私はアメリカ留学を志し、留学資金確保のために、東京のスープ専門レストランカフェで調理とホールのアルバイトをしていました。

そこには、一人、ユニークな常連さんがいました。

毎週火曜の決まった時間に来店して長居します。いつも帰り際に冷凍パックのスープを5つ買って行きました。

ちょっと辛口な人で煙たく思う店員も多く、実は私もその一人でした。

ある日、私がその会計をしたときのことです。

常連「兄ちゃん、ここにさ、よりどりスープ10個セット20％引と書いてあるな。先週も5個買ったんだけど、今日の5個と合わせて20％引にできるよな」

常連さんの高圧的な態度と、私の日頃からの鬱憤が重なり、バトル・ビギン！

私「申し訳ありません。10個まとめて買っていただいた方へのキャンペーンなんです」

常連「俺が常連なのは知っているだろう？　先週も5個買ったんだよ。今週のセールのことを知っていたら先週は買ってなかったよ」

私「今週のセールのポスターは先週から貼ってありました。それに、先週5つ買ったときに、来週は10個買うと、うちの店長とお話しされていましたよね」

常連「話にならねえな。店長呼んでこいよ」

私はケンカ腰のまま、いわれたとおり店長を呼びました。

店長も変わり者の常連さんの話をスタッフにジョークを交えて話していました。ルールはルール、ビシッと、いってくれるはず。

キッチン裏の事務所で店長に対応を依頼すると、「よし、了解！」とホールにさっそうと登場。常連さんにこう挨拶しました。

店長「いつも、ありがとうございます！　スタッフから話を聞きました。20％引のセールについてですよね。本当にちょっとわかりにくいセールでご迷惑おかけします。私も、先週の5つも入れて20％引にさせていただきたいのですが、本社からのルールで申し訳ないです。よろしければ、今週の5個と来週の5個で20％引にし、5つはこちらで取り置きして来週にお渡ししましょうか？」

常連「ん〜。まあそういうならさ。じゃあ、そうしてもらおうかな」

常連さんは渋々ながら、意外とあっさり応じました。

店長はサクッとクレームを処理しました。セールのルールに例外も出さず、私との口論でゼロになりそうだったスープの売上を10個に増やしたのです。

ルールとファクトを持ち出し、相手を攻め立てる私の戦略はまったくダメでした。相手を論理でねじ伏せても、相手との心の溝を深めてしまった。「難しい会話」の落とし穴に見事にはまってしまったわけです。

このエピソードから、どれだけ時間が経過したかはご想像にお任せします。その後、私はスタンフォード大学で論理学博士になりました。

論理学者の立場から強調したいのは、**論理の力の限界**です。特に最近、ビジネスパーソンだけでなく一般の方にも「論理力」がもてはやされています。

「論理的に考えなくてはならない」
「論理的に話せば相手に勝てる」
「論理力を小さい頃から鍛えておくと後で得をする」

スープ専門のレストランカフェでアルバイトをしていた頃の私も、論理至上主義者でした。

論理を学んでいると便利なこともありますが、論理だけでは何もできません。論理にこだわりすぎて大失敗してしまうことも多い。

正論と論理で相手を一方的にやっつけるのはタブーだと心得ておきましょう。

あくまでも、論理は、平和利用しなくてはいけません。

感情的になりやすい「難しい会話」で、論理の剣をおもむろに振りかざせば、ガチンコのケンカになるのは目に見えています。

確かに、「正論だとわかっているけれど、改めていわれるとムッとする」というと、感情的な表現で感心できないかもしれません。

でも、「難しい会話」で扱っているのは、その感情なのです。

タイミング悪く、正論オンリーで突っ走ると、解決できることもできなくなってしまいます。

論理や正論は諸刃の剣。使い方を間違えると痛い目に遭います。そうならないよう、正しい使い方を心がけましょう。

そのために論理の平和的利用のポイントをまとめておきましょう。

「論理の平和的利用法」4つのポイント

◉ルールや正論に終始しない

「難しい会話」では、正論から外れた例外が求められていることがあります。

「20％引を先週のスープにも当てはめろ」とルールの例外を求めた常連さんに、もう一回、ルールを述べるだけではラチがあきません。

当時の私はその間違いを犯し、ガチンコ対立のゴングを鳴らしてしまいました。

たとえルールをいい直すときにも、相手の感情を気遣わなければいけません。

◉ルールや正論を客観的かつ批判的に見つめて相手に寄り添う

ルールや正論を提示する際に重要なのは、**相手側に寄り添い、同じ目線に立っていること**を印象づけることです。

当時の店長は「本当にちょっとわかりにくいセールでしたね」とルールを確認しながら、ルールに**軽い文句**をつけました。

これは、**ルールを客観的、かつ批判的に見つめる姿勢**です。

ルールをいったん「向こう側」に位置づけたことで、自分は常連さんと同じ立ち位置から話をしていることを印象づけたのです。

ルールや正論を武器に相手をやっつけるのではなく、相手と同じ目線ということを印象づけることで相手との対立を簡単に回避できるのです。

◉相手の間違いはとりあえず心にしまっておく

「難しい会話」の中で相手が間違ったときに、ここぞとばかりに相手を追い詰めてはいけません。

「先週知っていれば、今週のセールを利用した」と主張する常連さんの間違いに対し、「先週から告知されていた」といって私は常連さんを立腹させました。

一方、懐の深い店長は、そのことには一切触れませんでした。

相手の間違いに気づいても、いったんしまっておき、どうしても間違いを指摘しないといけない瞬間までじっと取っておきましょう。

◉相手の逃げ道を確保する

逃げ道がなくなるまで、相手を追い詰めてはいけません。

正論だけで攻め込むと、逃げ場を失った相手が暴発して話が決裂します。

アルバイト時代の私は、常連さんの退路を絶ってしまいました。前週から告知があったことを伝え、店長ともそのことを話していたと指摘したのです。実際、常連さんも「話にならねえ」というほかなかったわけです。

一方、店長は、

「よろしければ、今週の5個と来週の5個で20%引にし、5つはこちらで取り置きして来週にお渡ししましょうか？」

と相手に選択させる形で、相手の譲歩を引き出しています。

退路を用意しておいてそれを相手に選ばせたのです。

このように相手が渋々にでも逃げられる道筋を用意しながら、それを選択させるのがベストです。

著者の
つぶやき

スタンフォード式最高の「許し方」9ステップ

これで**スタンフォード式の「許す力」×「共感する力」のコラボで、世界中の「天敵」を戦略的に思いやる14か条**が出揃いました。

❶日頃からストレスマネジメント法を総動員する
❷自分が怒りやストレスを感じている事柄を見つける
❸相手目線で起こったことを想像してみる
❹自分を救うヒーローのつもりで、自分の気持ちを建設的に解釈し直す
❺会話の目標を定め、会話を外側から見る視点を設定する
❻会話の「シャドーボクシング」で不安やストレスを軽減する
❼ポジティブな事柄は主観スイッチをオンにする
❽まずは相手に対する感謝から始めよう
❾ネガティブな事柄は客観スイッチをオンにする
❿敵と自分の共通の土壌を模索する
⓫ルールや正論に終始しない
⓬ルールや正論を客観的かつ批判的に見つめて相手に寄り添う
⓭相手の間違いはとりあえず心にしまっておく
⓮相手の逃げ道を確保する

ガチンコのケンカでは、自分の拳も傷つくだけでなく、さらなる敵対関係に発展します。

スタンフォード式の「許す力」と「共感する力」をかけ合わせ、対立相手さえ思いやる

気持ちを手に入れましょう。

これらのヒントのベースとなる考え方は「許す力プロジェクト」を指揮したスタンフォード大学のフレッド・ラスキン准教授の研究です。

本講の締めくくりとして、ラスキン准教授が著書『Forgive for Good』の中で提案した**「最高の許し方」9ステップ**を紹介しましょう。

どうしても許しがたいことが起きたとき、「許す力」でどうか自分をいたわってあげてください。

スタンフォード式「最高の許し方」9ステップ

❶ 自分がどう感じているかを信頼できる人に素直にシェアする

まず、起きたことに対して自分がどう感じているか、正確に把握しましょう。その状況で何が自分にとってダメなのか。そのうえで信頼できる人に、そのことを話してみましょう。

❷ 心がラクになるよう、自分でやるべきことをやると決意する

許すことは自分のためであって、他の誰のためでもありません。人は人。あなたの決意を邪魔する権利はありません。自分のために、自分のできることをする決意をしましょう。

❸ 最終目標は自分の心の平穏

許すことは、一方的に論破してくる相手と妥協して和解したり、行動を大目に見て我慢したりすることではありません。

求めるべきは自分の心の平穏です。

自分を責め立てる気持ちを減らし、不満を解釈し直すと、心に穏やかな気持ちが戻ってきます。どうすれば心に平穏を取り戻せるかを意識し、自分の目標を立てましょう。

❹ 苦しみは自分自身の心にあることを知る

現在の心の苦しみは、自分の心や体の中にある痛みからくるものです。

自分を怒らせ、傷つけた人にあるのではありません。

自分の気持ちを和らげるには、どうしたらいいかを考えましょう。

❺「PERT法」を使う

気持ちが傷ついたときは「PERT法」（➡197ページ）などのテクニックを活用し、ストレスを和らげましょう。何よりもまず、心を落ち着けることが大切です。

❻ムダな期待をしない

あなたに手を差し伸べようとしない人に、無理な期待をするのはもうやめましょう。そんな相手に無理な期待を抱いても、苦しみを深めるだけです。

❼傷ついた気持ちからポジティブな目標に視点を変える

自分が傷ついた経験より、今後のポジティブな目標を探すことにエネルギーを集中させましょう。

傷ついた気持ちを何度も心の中でリプレイするより、新しいやり方で自分が本当に求めるものに邁進しましょう。

❽幸せな人生が「最大の復讐」であることを理解する

あなたのこれからの幸せな人生が、「最大の復讐」だと考えましょう。

傷ついた心に焦点を当てるのは、あなたを傷つけた人に屈することです。

自分の人生にあるやさしさ、愛情、美しいものや幸せに目を向けましょう。

❾ 自分で自分の救世主（ヒーロー）になる意識を持つ

自分の不幸を解決できるのは自分しかいません。自分の心の傷を癒せるのは結局、自分しかいないのです。

自分が自分の救世主（ヒーロー）になる意気込みで、自分が不満を持つに至った経緯を見つめ直してみましょう。

THE POWER TO SURVIVE

第7講

スタンフォード大学・オンラインハイスクールから
実況生中継！

本当の幸せの見つけ方を科学する

★ ★ ★

式辞のはじめに、少し宣伝を。

この夏からスタンフォード大学・オンラインハイスクール2年の「ウェルネスプログラム」に「幸せの哲学と科学」のコースを開講します。講師は校長の私です。哲学と科学の視点から幸せを生徒たちと見つめていく授業を、こんなご時世だからこそやりたいと思っています。

そこで、数か月ほど幸せの哲学や科学に関する本や資料を読み返していると、すべての理論の共通点に気がつきました。


これは、2020年6月、スタンフォード大学・オンラインハイスクール卒業式で私が話した式辞の冒頭です。

この宣言どおり、2020年夏から「幸せの哲学と科学」の授業を教え始めました。おかげさまで生徒にも保護者にも好評で嬉しい限りです。

アメリカの新年度は始まったばかりですが、校長職のかたわら貴重な教える機会を満喫しています。今年1年、じっくりコトコトと煮詰めながら、生徒と二人三脚で、有意義なコースをつくり上げていこうとワクワクしています。


いよいよ締めくくりの本講では、「生き抜く力」と幸せや生きがいの関係を、私と生徒との会話形式で考えてみたいと思います。

式辞で述べた「すべての理論の共通点」とはいったい何でしょうか。

お金と幸せは800万円の関係!?

私　さあ今日は「幸せの科学」の授業です。科学をするとなると、まずはどんな定義から始めるかが重要です。

幸せの定義って何だと思いますか？

Larry　もちろん、お金！

Anne　ふん、ホントは、ロマンチストなくせによくいうわ。

私　そうですね、お金は生活に必要で、食べものや着るものが買えなければ苦しいですよね。生活必需品以外にも、趣味や遊びにも何かとお金がかかります。

Tracy　確かに、お金があればあるほど幸せだというのは否定しがたいですね。

ただ、お金だけあれば幸せというのは間違いだと思います。貧乏だって、気の持ちようで幸せになれる。生きがいとか目標とか、心の習慣だと思います。

私

なるほど。いいですね。

そう、「幸せの科学」では、幸せは心の状態であると広く解釈されています。「幸せの科学」の第一人者でカリフォルニア大学リバーサイド校のソニア・リュボミアスキー教授の幸せの定義はこうなります。

「喜びや、満足、ポジティブなよい気持ちを体験していることで、人生がよいとか、価値があるとか、生きがいがあるという感覚をともなうもの[52]**」**

さて、Tracyの仮説について少し考えてみましょう。お金はあればあるほど幸せになれるのか？

Larry

お金をある程度持っていることは必要。でも、それだけで人を幸せにはできない。人生にはときめきが必要なはずだから。

Anne
ほらきた、Larryのロマンティック。ホント、やめてよ。

でも、確かに、すべてのお金持ちが幸せだとは思えない。

だけど、「科学」なわけだから、全体を平均してどうかということだよね。それなら、収入と幸福感は比例しているはずだと思う。

それはさすがに、否定できないっしょ？

Tracy
はい、私もそのとおりだと思います。平均化したら否定はできないでしょう。人それぞれ悩みは違うけれど、収入が10万ドル（およそ1000万円）と100万ドル（およそ1億円）の人たちの平均を取ったら、100万ドルのほうが幸せな人が多いというのは普通の考えだと思います。

私
いい推論ですね。ここで、一つ研究を紹介しましょう。
プリンストン大学のダニエル・カーネマン名誉教授とアンガス・ディートン名誉教授のお金と幸福感に関するとても有名な研究があります。[53]それによると、自分の人生にどのくらいの価値や意義があるかという自己評価は、収入が増えていくにつれて上がっていくということです。
それではやはり、収入が増えるにつれて、幸福感も増え続けるということでしょうか？

Tracy　いいえ、これは、リュボミアスキー教授の定義の半分です。

私　素晴らしい！　そのとおりです。

リュボミアスキー教授の定義だと、幸せになるには、喜びや満足など「よい気持ち」を実際に体感していることも必要です。

幸せには、人生の意義を持っていることと、「よい気持ち」の状態でいることの両輪が必要です。

それでは、その「よい気持ち」の状態と収入の関係はどうでしょうか？

カーネマン名誉教授とディートン名誉教授の研究結果によると、年収7万5000ドル（およそ800万円）を超えると、収入と「よい気持ち」の相関がなくなってしまいます。

もちろん、年収7万5000ドル以上の人の中に、さらに年収が上がればその分気持ちよく感じる人もいる。ただ、そうならない人も多く、7万5000ドルまでのような比例関係が見られなくなる。

年収7万5000ドルを超えると、収入以外の個人差が幸福感を左右するようになるんですね。

年収の増加はいつまでも気持ちよさを向上させてはくれません。年収と幸せは7万5000ドルまでの間柄です。

つまり、お金のもたらす幸せには限界があるというのが、科学が出した解答です。

Larry 人間というのは、メシが食えるようになると、欲深く他のものを求め始める。名誉や尊敬を勝ち取りたくなったりね。お金を持てば今度はそれだけでは満足しなくなる。なんて俺たち人間は罪深いんだ。

Anne ねえ、ちょっと今日のロマンティックしつこい。ホントに！

正しいお金の使い方で快楽の限界を克服する

Anne 確かに、お金を持っていても、うまい使い道がわからない人はいっぱいいそう。頑張って努力して貯めたお金で、ホントにほしいものを手に入れる幸せを味わえないだろうな。自分のほしいものがわからなければ。

私 お金は使い道というわけですね。
ある程度の年収まではだいたいお金の使い道が決まっているのかもしれない。生活に必要なものに使わなくてはいけないからね。

しかし、ある一定以上になるとお金の使い道のチョイスがグッと増える。そこでうまくできるかどうかがカギなわけです。

さて、お金の使い道に、Anneがいっているように、ものを買うというのがありますね。服、本、ゲーム、ジュエリー、自転車、車……。

お金に続いて、物質的な幸せの限界についてはどう思いますか？

Tracy　私の弟はポケモンのフィギュアを集めています。もう何年もコレクターをやっていて、とっても楽しそう。ポケモンが好きでいる限りは、ポケモンのフィギュアがずーっと幸せにしてくれそうです。でも、お小遣いを貯めて、ほしいフィギュアを買ったら、その日中に、次のフィギュアに目が行っている気もしますが。

Larry　コレクションは男のロマンだからね。情熱を燃やして手に入れても、はかないもので、すぐ次のロマンを求めるのさ。

私　物質的な満足や食欲などの身体的欲求を満足させることによる幸福感を「快楽的幸せ」(Hedonic Happiness) と呼びます。

「TracyとLarryがヒントをくれたように、快楽的幸せは長続きしない。よい車を買っても、ちょっと時間が経つとすぐ飽きて、もっと高い車がほしくなる。

Anne　ずっと食べたかったケーキを今日はものすごく楽しんだけれど、1週間毎日続くとなんとも思わない。

私　そうですね。そのように快楽的幸せにすぐに飽きがきてしまうことを「快楽順応」(Hedonic Adaptation) と呼びます。

ものを買ったり、身体的欲求を満たしたりして得られる幸せは、はかないものです。快楽的幸せにはそうした限界があるのです。

その快楽的幸せと対照的なのが、生きがいや人生の意義による幸せです。お金の使い方に自分なりの意義が感じられれば、幸せを感じることができます。この類の幸せは快楽順応が当てはまらず、より深く継続的な幸せを得られることがわかっています。

それでは、どんなお金の使い方をすると、より幸福感が得られるでしょうか。ものを買うのと旅行に行く。どっちのほうが幸福になれると思いますか？

Tracy 私は断然旅行です。日本への旅行に非常に興味があります。そのためなら何を買うのも我慢できます。

Larry その気持ちもわかるけれど、何かを体験しても、手元に何も残らないなあ。旅行に行くような大金があれば、ものを買ってずっと手元に残しておきたい。

Anne 今回はロマンなしかい！　やるならやりとおせ！

私 買うなら、ものか体験か。コロラド大学ボルダー校のリーフ・ファン・ボーベン教授らが２００３年に出した心理学論文の答えは「体験」でした。[54]ものを買うのにお金を使うより、旅行などの体験のほうが幸せ感が高く、しかも長続きする。

また、体験のほうが実際の幸せ感が高いのに、お金の使い道を考えるときに、人はついもののほうを選んでしまいがちなこともわかってきました。

Tracy まさに、Larryの意見です。ものと旅行を比べ、同じお金がかかるなら、ものを手元に残したほうが得じゃないかと予測する。

私　そうです、みんなそのように考えがちなのです。
しかし、実際には体験にお金を注ぎ込んだほうが幸せに感じる。
旅行をしたり、映画を見たり、スポーツをしたりする。ものは手元に残らないけれども、
素晴らしい体験は、人生の意義や生きがいを大きく左右します。

Larry　旅行とか映画とか、大切な人と分かち合う時間は人生を豊かにしてくれる。

私　そのとおり！　**他の人と分かち合うのは幸せになるお金の使い方**です。
ニューヨーク州立大学ストーニーブルック校のピーター・カプラリエロ准教授らが、先
ほどのコロラド大学の追加研究で、自分一人の体験ではなく、他の人たちと時間をすごす
体験にお金を使うほうが生きがいにつながることを確認しています[55]。

Anne　先生、体験や人との関わりにお金を使うと、有意義な幸せ感につながりやすいといって
も、個人差があるんじゃないですか？

私　よい質問ですね。そのとおりです。もちろん、こうした研究では一般的な傾向しか示さ
れていません。

それどころか、Anneのいうように、個人の性格や状況でだいぶ違いがあることもわかっています。

シャネルのバッグがほしくてずっとお金を貯めていた人に、そのお金を無理やり使って旅行体験をさせてもダメ。

だから、科学の示す傾向を理解して、自分のことをいろいろと吟味したうえで、最終的にどうしたいか見つめることが必要です。

自分の個性に合ったお金の使い方を生み出していかなくてはいけません。

Tracy

先生、私もよろしいでしょうか？

他の人と体験を分かち合うことが幸せにつながるなら、そこからさらに進んで他の人のためにお金を使うというのはどうでしょうか。

寄付とかボランティア活動とかそういうのはどうでしょうか？

私

「与える力」で人のためになる幸せ。「生き抜く力」の基本要素の一つですね。

これは非常に深い指摘です。それでは次に、人のためになることと幸せの関係を見ていきましょう。

幸せになるための正しいお金の使い方

1 ものよりも体験を大事に
2 一人よりも他の人と
3 自分の個性に合わせて
4 「与える力」で人のためになる

科学が教えてくれた幸せの見つけ方とは？

私　ハーバード・ビジネス・スクールのマイケル・ノートン教授らによる有名な実験があります。

すべての被験者に５ドル（およそ５００円）が渡されます。一つのグループには、自分のためにその５ドルを使うことが指示されます。もう一つのグループは、誰か他の人のためにその５ドルを使うように指示されます。[56]

後日すべての被験者に対して、５ドルの使い道と幸せレベルが調査されます。

Larry 普通なら自分に使ったほうが幸せ感が高そうに思うけど、今日の話の流れからすると、「与える力」組が幸せ感が高かった?

私 そのとおり。

Anne 私自身は、そんなに意外な結果でもないと思う。他の人のためになることをしたら、いい気分になるもん。

あと、たった5ドルだから、「他の人にじゃなくて、自分のことに使いたかったのに!」というような「残念だ感」も少ないと思うし。

私 5ドルという額に注目するのは、実にいいですね。100ドル(およそ1万円)だったら、違っていたかもしれないと。

しかし、興味深いことに、金額を上げてみても結果が変わらないことが追加実験などでわかってきています。

それから、2006~2008年にギャラップ社が世界136か国で行ったアンケート調査でも、近日中にチャリティなどに寄付をした人たちの幸福度が高いことや、その国のGDPに相関しないということもわかっています。[57]

「与える力」を発揮することで得られる幸せは、貧しいか裕福かに関係ないようです。

Tracy 先生、与えることと幸福感のつながりは、単なる統計的相関関係という以上のものなんですよね。

だって、この前クラスで読んだ脳科学の論文がありましたよね。

Larry さすがTracy、そんなのあったっけ？

私 そうですね。気持ちよかったり喜んだりしているときに活性化される脳の部分が「報酬系」ですね。

ものやお金をもらって喜んでいるときと同様、人にお金をあげたり、人助けをしたりしたときにも、報酬系が活性化されることがこれまでの研究で明らかになっています。

それから、与えることが幸せにつながるというのは、学習を積んだ大人だけのことではないようです。

カナダにあるサイモン・フレイザー大学のラーラ・アクニン准教授の研究によると、幼児に関する実験でも同様の結果が出ています。[58]

それから、人のためになることで得られる、人生の意義による幸せ感を持っている人のほうが、快楽的幸せを求めがちの人たちよりも、免疫力が高い傾向が見られます。その他にも、ストレス耐性や、うつ病への耐性、善玉コレステロールの増加、快眠傾向など、様々な健康効果があるようです。[59]

Anne 「与える力」って幸せになれて、さらにいろいろないいことがあるのか。でも、人のためになる仕方にもよるんじゃない？お金も使い方次第でいろいろ違ってくるって、話していたから。

人のためになるときに意識すべき3つの点

私 鋭いですね。先ほどのハーバード・ビジネス・スクールのノートン教授と、相棒のブリティッシュコロンビア大学のエリザベス・ダン教授によると、**人のためになるときに意識すべき3つの重要な点**があるようです。[60]
何だと思いますか？

Tracy 強制じゃなくて、自分の意志に基づいていることだと思います。人にいわれて渋々より、自分で助けたいと思ってやるほうが意義が感じられる。

私　そのとおりですね。人のためになることが自分の選択であることが大切です。
オレゴン大学ウィリアム・ハーボー教授らの研究では、被験者に100ドルを渡して、強制的に寄付をさせられたグループと、使い道を自分で選択できるグループに分けて、脳内スキャンをしたものがあります。
結果として、強制的にでも寄付をすると、報酬系が活性化されるものの、自分で選択して寄付した場合のほうがより強く活性化されることがわかりました。[61]
さあ、意識すべき3つの点のうち一つが出ました。他の2つは何でしょう？

Larry　よいことは人に気づかれないように、秘密でやるとか？

Anne　それアンタの「ロマンティック自己満」じゃない？

私　「ロマンティック自己満」はいいすぎですが、相手に秘密にするかどうかということより、相手とのつながりが実感できるようにすると意義を感じやすいことがわかっています。
先ほど紹介したアクニン准教授の実験が有名です。被験者にスターバックスの5ドルカードを渡して使い道を指定します。[62]

1　一人でスターバックスに行って自分のものを買う
2　他の人と行って自分のものを買う
3　他の人にカードをあげて自分は同伴しない
4　他の人と一緒にスターバックスに行っておごる

この中で一番幸せを感じたのはどのグループでしょうか？

Tracy　他の人との関わりが大切だから、2か4になると思います。それから、相手に与えるほうが意義を感じやすいのだから、4が答えになると思います。

Larry　さすがTracy！　じゃあ俺も4！

私　そのとおり。相手のためになるときに、自分と相手のつながりを強めることができるとより意義を感じやすくなります。
同様に、つながりがすでに強い相手のためになることで、より生きがいや意義を感じやすくなることもわかっています。
ここで重要なのは、いかに助ける相手とのつながりを実感できるかで、実際に会ったり、仲よくなったりすることは必要条件ではありません。
仮に、教育が必要な子どもたちへの寄付をしたとしましょう。寄付した後に、その寄付で建てられた学校の生徒から感謝の手紙が届きます。その子どもは友人や家族でもなく、会ったこともないわけですが、そうしたやりとりで心の絆を感じることができれば、意義による幸せを感じることができます。
さあ、自分の意志で相手のためになる。それから、相手との絆を強める。意義を感じるのに重要なこと、3つ目は何でしょうか？

Anne　うーん、ちょっと難しい。困ったときにはTracyお願い！

Tracy　申し訳ありません。もうアイデアが出てきません。

Larry　さっきの子どもから届く手紙みたいな感じで、自分のやったことが実感できることが大切なんじゃないかな。

私　そのとおり！　自分が寄付をしたことや助けたことの結果を、はっきりと理解したり、実感したりすることで、より生きがいと幸せを感じられます。

だから、大きな団体に寄付するだけではなく、そのお金の使い道がどうなっているのか、しっかり自分でチェックしたり、寄付をしたお金がどのように使われたかを調べてみたりすることで、自分の寄付の意義を深く感じることができます。

寄付だけでなく、ボランティア活動や日常生活での親切な行動についても同様のことがいえます。

親切は「タイミング」と「スパイス」

私　先日、このクラスで「親切リフレクション」という授業をやりましたね（→99ページ）。そのエクササイズのもとになったカリフォルニア大学リバーサイド校のリュボミアスキー教授の実験で、被験者に手渡された指示の内容をおさらいしてみましょう。

いろいろな日常の場面で、私たちは他の人を思いやる行動をしています。些細なことから大きなことまで、親切なことをされた人が気づいたり、気づかなかったり。たとえば、献血をしたり、友達の宿題を手伝ったり、高齢の親戚を訪ねたり、感謝状を書いたり。来週1週間で、5つの親切な行動をしてください。その親切はすべて同じ人に対するものでなくてかまいません。また、親切をされた人が気づいても、気づかなくてもいいですし、ここの例に挙げたものであってもなくてもかまいません。**自分や他の人を危険にさらすような親切は避けてください。**[63]

この指示に基づいて6週間、毎週日曜日に、被験者はレポートを提出して、自分がやった親切な行為やその日時を報告します。また、リュボミアスキー教授らが考案した診断テストで幸せ度が測定されます。

結果はどうなったでしょう？

Anne これは簡単。相手のためになることで生きがいを感じて幸せになれるんだから、みんな幸せ度が上がったはず！

私 そういう流れですよね。しかし、結果はもうちょっと微妙だったんです。

5つの親切行動を何日にも分けてやった人たちの幸せ度はあまり上がりませんでした。

一方、**すべての親切行動を1日で一気にやった人たちの幸せ度が急激に上昇した**のです。

Tracy 「一夜漬け」も場合によっては効果があるということでしょうか。

Larry　うーん、俺にピッタリだわ。

私　そうですね。学習の「一夜漬け」は脳科学的にはおすすめできないのですが、親切と幸せに関しては違ったんですね。

この結果に基づき、リュボミアスキー教授は、**親切にはタイミングとスパイスが必要だ**と主張します。

ダラダラと同じような親切を習慣のように続けてしまうと、その行動からくる意義や満足感を味わうことを忘れてしまいます。

快楽順応に似ていますよね。人間は物事にすぐ慣れてしまう。

そのため、親切な行動をしたり、相手のためになることをしたりして得られる幸せ感の上昇の秘訣は、タイミングをよく見ることです。

コツコツ地道に続けても習慣になってしまう。また、一気にやりすぎても疲れてしまったり、少しだけだと効果がまったくなかったりします。

Anne　それじゃあ、スパイスっていうのは、刺激的じゃないといけないってこと？

快楽順応しないように、刺激的な親切をする？

私　「刺激的」というより、あたりまえの習慣になってしまわないように、「ルーティン化」を避けるということです。

　行動の種類を変えたり、意義を見直したりすることが肝心です。

　実際にリュボミアスキー教授の研究で、種類を変えて親切行動を取ることで幸せ感が上がることがわかっています。

　ただ、タイミングやスパイスといっても、毎日同じ親切行動を取るのがダメなわけではありません。

　生きがいを強く感じている人はすでに幸せ感が高いのですから、その生きがいに合う行動を続けていけばいいのです。

　親切リフレクションはあくまでエクササイズで、生きがいや人生の意義を見つけるきっかけです。

　さて、そろそろランチタイムですね。今日の授業はここまでにしましょう。

全員　ありがとうございました！

人のためになって、生きがいと意義を見出すヒント

1 自分の意志に基づく。強制されてやらない
2 相手との絆を強める
3 相手にどのような影響を及ぼしたかを意識する
4 タイミングとスパイスを大切に

著者のつぶやき

スタンフォード式「生きがい人生」の7つのヒント

さて、「与える力」と幸せの関係を見つめる「幸せの科学」の授業はいかがだったでしょうか。本講の締めくくりに、冒頭で触れた「すべての理論の共通点」に話を戻しましょう。

授業の準備に、幸せの哲学や科学に関する本を読み返していた私は、幸せに関する理論に共通しているある考え方に気がつきました。

それは、**「心を働かせる力」**です。

リュボミアスキー教授の「幸せの定義」にあるように、幸せは私たちそれぞれの心の中にあり、まわりの環境にあるものではありません。

受け身になって幸せがもたらされるのを待ち続けても、幸せは訪れてくれないのです。なぜなら、まわりがどうあろうと、**幸せは自分の心の中にあるもの**だからです。

人生長く生きていれば、心地よいこともあれば、つらいこともあります。

つらいことが起きて、いつまでもクヨクヨしているのか。それとも、ひとしきり落ち込んだ後に、前向きに心をシフトするのか。

幸いなことに、私たちは自分の気持ちと主体的に向き合う能力を持っています。ひどいことが起きても、自分の気持ちに積極的に働きかけ、前向きな気持ちに切り替えることができるのです。

嬉しいことが起きても、タイミングとスパイスを忘れては、幸せが長続きしないわけです。意義を積極的にかみ締めて、主体的に行動することが必要です。

自分の気持ちは自分の心の中にあります。究極的には他人にはどうすることもできません。

前向きに、主体的に、現実と自分の気持ちと関わり合う。それを可能にするには、私たち自身が「心を働かせる力」を発揮するしかないのです。

積極的に自分の心を働かせて現実と向き合い、社会とつながり、生きがいを見つけることができて初めて幸せを感じることができるのです。

自分の「心を働かせる力」を発揮し、生きがいに満ちた人生を満喫したい。そのためにはどうすればいいのか。

スタンフォード大学の心理学者、フィリップ・ジンバルドー名誉教授（Dr. Z）の生きがいに満ちた人生のための7つのヒントを、本書の視点からまとめ、締めくくりとしましょう[64]。

Dr. Zの「生きがい人生」の7つのヒント

❶ 過去、現在、未来をバランスよく使いこなす

過去、現在、未来の3つの「時間エネルギー」をバランスよく使いこなしましょう。過去に起こった出来事とポジティブにつながり、学びを得る。現在の出来事や感情にも心を向け、今起きている物事の流れやエネルギーを感じ取る。そのうえで、未来に向けて、

目標と期待を持つ。

過去にひきずられ、今を生きられないのはダメ。将来を考えないで、現在に陶酔しても長続きしない。未来に胸が膨らんでも、今の気持ちを軽んじては幸せになれません。

❷生涯をかけて学びを大切にする

興味を持つ。問いかける。考える。想像する。ゆりかごから墓場まで学びを続けることが人生の本質です。

社会で求められるスキルや知識が目まぐるしく変化しています。これまで社会のベースになってきた価値観さえも、急速にアップデートされていきます。

生涯にわたって学び続けることが、社会を生き抜くカギなのです。

❸「情熱リスト」で自分の熱意を育む

毎日やらなくてはいけないことのTO-DOリストとは別に、現在熱意を持って取り組んでいることや、自分の情熱が向く将来の目標を書き留めておきましょう。

この「情熱リスト」をつくることで、自分の熱い思いを再確認できます。また、批判的に吟味したり改めたりして、自分の情熱を育んでいくことができます。

自分の人生の意義が詰まったリストです。自分の生きがいを再発見しましょう。

❹ シャイな自分を捨て、社会でみんなとつながる

シャイでいることは、自分で自分に足かせをはめること。シャイな気持ちは心がまえによるものです。自然原則のように、絶対的に変えられないものではありません。

他の人とつながりましょう。自分の思ったことを表現していきましょう。シャイで孤独なお客さんを気取るより、人生という名のパーティの社交的で活発なホストになることを志しましょう。

❺ 自分をリメイクし続ける

ときどき、あたりまえの日常や、決まりきった考え方から、わざと脱線してみましょう。慣れ親しんだ日常を、斬新な人生のアドベンチャーに変えましょう。リスクを恐れず、失敗から学びましょう。

❻ 社会派の「はみ出し行動」を大切にする

空気を読んで、まわりに合わせる。本当にやるべきことはわかっているのに、いざというときに行動が取れない。

そんな心ない日和見《ひよりみ》主義は終わりにしましょう。「空気」につぶされないで、建設的な

行動を積極的に取りましょう。ちょっと、まわりのみんなからはみ出したってかまわない。社会のためのはみ出し行動は重要なのです。

❼ 社会の変化に貢献するヒーローを志す

エンパシーと思いやりを心の中心に置き、日々、小さなことからでも積極的に行動して、社会のよい変化に貢献しましょう。

みんなが何もしていなかったり、ともするとよくないことをしているときでも、やるべきことのために立ち上がりましょう。

ヒーローというのは、生まれ持った性質ではありません。ヒーローとは、助けが必要な他の人々のために、リスクやコストをいとわず行動できる能力で、自分で育んでいくことができるのです。

Dr. Zの7つのヒント。いかがだったでしょうか。

この7つのヒントを加えて、私たちそれぞれの「生き抜く力」を完成させましょう。

おわりに

本書を最後まで読んでいただき、ありがとうございます。

第1講で探った「生き抜く力」の源泉は、人にやさしく耳を傾け、思いやりを持ち、相手のためになれること。殺伐とした競争社会のイメージとは真逆の視点ながら、先端科学やビジネスでも大注目。利他的な心の仕組みは、人間が進化と自然淘汰を勝ち抜く過程でDNAにプログラムされた「生き抜く力」の根本であることを学びました。

第2講では、「生き抜く力」を哲学や宗教の視点からディープに検証しました。現代宗教からダライ・ラマとローマ教皇、新渡戸稲造の武士道から「慈愛」、儒教の「仁」、近代に戻ってヨーロッパの哲学からヒュームとカントに感情と理性の対立を見て、古今東西の「生き抜く力」の思想を見渡しました。

第3講では、「生き抜く力」の基本要素を「聞き取る力」「共感する力」「与える力」の3つに分け、それぞれのトレーニング法を解説。「アクティブ・リスニング」からスタンフォード式「思いやり瞑想」、幸せの科学の視点から「親切リフレクション」も紹介しました。

第4講では、基本3要素を応用し、極上「コラボ力」を磨きました。適切なフィードバックの方法や、感謝の仕方や究極の謝罪など、「生き抜く力」を応用した極上の「コラボ力」で最高の人間関係のつくり方を学びました。

第5講では、日本人が苦手とする自己主張や初対面、プレゼンなどのコミュニケーションに関する「聞き取る力」や「共感する力」を発揮する方法を紹介。「ケンカしない論点整理話法」や、「アクティブ・リスニング」を使った教育法にも触れました。

第6講では、世界中の「天敵」を戦略的に思いやる方法を紹介。スタンフォード式「許す力」を「天敵」にどう活用するか。そして、論理学者の視点から論理の平和的利用法も提案。最後にスタンフォード大学のラスキン准教授の「最高の許し方」9ステップもつけ加えました。

第7講では、スタンフォード大学・オンラインハイスクールを舞台に対話形式で「与える力」と「幸せの科学」を題材に、お金の使い方や生きがいの見つけ方を学びました。自分の「心を働かせる力」で幸せをつかみ取る方法を求めて、Dr.Zの「生きがい人生」の7つのヒントで締めくくりました。

自分のまわりの人とつながり、互いのためになる。人類が進化の荒波を乗り越えてくる中で手に入れた最高の「生き抜く力」を、今こそ改めて見直さなくてはいけません。

本書が少しでもそのお役に立てれば幸いです。

今後も私の公式サイトで最新情報を配信していきますので、よろしかったら立ち寄ってみてください。

【著者公式サイト】https://tomohirohoshi.com/

母と父に捧ぐ

2020年9月吉日

太陽が燦々と輝くスタンフォードより

スタンフォード大学・オンラインハイスクール校長

星　友啓

Hume,_1711_-_1776._Historian_and_philosopher_-_Google_Art_Project.jpg

P(P.70) https://commons.wikimedia.org/wiki/File:Immanuel_Kant_(painted_portrait).jpg

本文写真出典一覧

A(P.16) https://commons.wikimedia.org/wiki/File:Bill_og_Melinda_Gates_2009-06-03_(bilde_01).JPG

B(P.18) https://obamawhitehouse.archives.gov/blog/2013/05/19/president-obama-delivers-commencement-address-morehouse-college

C(P.23右) https://en.wikipedia.org/wiki/File:Tim_Cook_WWDC_2012.jpg

D(P.23左) https://commons.wikimedia.org/wiki/File:MS-Exec-Nadella-Satya-2017-08-31-8-2.jpg

E(P.24右) https://commons.wikimedia.org/wiki/File:Mike_Krieger.png

F(P.24左) https://commons.wikimedia.org/wiki/File:Henry_ford_1919.jpg

G(P.49) https://commons.wikimedia.org/wiki/File:Dalai_Lama_in_2012_02.jpg

H(P.53) https://commons.wikimedia.org/wiki/File:Pope_Francis_Korea_Haemi_Castle_19.jpg

I(P.57) https://commons.wikimedia.org/wiki/File:Kumagai_Naozane,Ichinotani.jpg

J(P.58) https://commons.wikimedia.org/wiki/File:Taira_no_Atsumori,Ichinotani.jpg

K(P.59) https://commons.wikimedia.org/wiki/File:Nitobe_Inazo_(2).jpg

L(P.60) https://commons.wikimedia.org/wiki/File:Houghton_Hearn_92.40.10_-_Bushido_title.jpg

M(P.63上) https://commons.wikimedia.org/wiki/File:Half_Portraits_of_the_Great_Sage_and_Virtuous_Men_of_Old_-_Meng_Ke_(孟軻).jpg

N(P.63下) https://commons.wikimedia.org/wiki/File:Konfuzius-1770.jpg

O(P.68) https://en.wikipedia.org/wiki/File:Allan_Ramsay_-_David_

Charitable Donations," *Science* 316, no.5831(2007):pp.1622-1625.

62. Lara Aknin, Gillian Sandstrom, Elizabeth Dunn, and Michael Norton, "It's the Recipient That Counts: Spending Money on Strong Social Ties Leads to Greater Happiness than Spending on Weak Social Ties," *PLoS One* 6, no.2(2011):e17018.

63. 下記より著者訳。

Sonja Lyubomirsky, *The How of Happiness: A New Approach to Getting the Life You Want* (USA: Penguin Books, 2008).

64. 以下より著者による編訳。

Philip Zimbardo, "Seven Paths to a Meaningful Life," *Greater Good Magazine* (2013).

https://greatergood.berkeley.edu/article/item/seven_paths_to_a_meaningful_life

65. 以下より著者による編訳。

https://ggia.berkeley.edu/practice/shared_identity

66. 以下より著者による編訳。

https://self-compassion.org/category/exercises/

67. 以下より著者による編訳。

Fred Luskin, *Forgive for Good: A Proven Prescription for Health and Happiness* (New York: HarperCollins, 2003).

54. Leaf Van Boven and Thomas Gilovich, "To Do or to Have? That Is the Question," *Journal of Personality and Social Psychology* 85, no.6 (2003):pp.1193-1202.

55. Peter Caprariello and Harry Reis, "To Do, to Have, or to Share? Valuing Experiences Over Material Possessions Depends on the Involvement of Others," *Journal of Personality and Social Psychology* 104, no.2 (2013):pp.199-215.

56. Elizabeth Dunn, Lara Aknin, and Michael Norton, "Prosocial Spending and Happiness: Using Money to Benefit Others Pays Off," *Current Directions in Psychological Science* 23, no.1 (2014): pp.41-47.

57. Elizabeth Dunn and Michael Norton, "How to Make Giving Feel Good," *Greater Good Magazine* (2013).
https://greatergood.berkeley.edu/article/item/how_to_make_giving_feel_good

58. Lara Aknin,Tanya Broesch, Kiley Hamlin, and Julia Van de Vondervoort, "Prosocial Behavior Leads to Happiness in a Small-Scale Rural Society," *Journal of Experimental Psychology: General* 144, no.4 (2015):pp.788-795.

59. Jill Suttie, "A Healthier Kind of Happiness" *Greater Good Magazine* (2013).
https://greatergood.berkeley.edu/article/item/a_healthier_kind_of_happiness

60. 「意識すべき３つの点」は以下より。
Elizabeth Dunn and Michael Norton, *Happy Money: The Science of Smarter Spending* (New York: Simon & Schuster Paperbacks, 2013).

61. William Harbaugh, Ulrich Mayr, and Daniel Burghart, "Neural Responses to Taxation and Voluntary Giving Reveal Motives for

45. Kim Buehlman, John Gottman, and Lynn Katz, "How a Couple Views Their Past Predicts Their Future: Predicting Divorce from an Oral History Interview" *Journal of Family Psychology* 5, no.3-4 (1992):pp.295-318.

46. コミュニケーション総合調査　第3報「コミュニケーションへの苦手意識」(JTBコミュニケーションデザイン)。
https://www.jtbcorp.jp/scripts_hd/image_view.asp?menu=news&id=00239&news_no=27

47. Kristin Neff, *Self-Compassion:The Proven Power of Being Kind to Yourself* (New York: HarperCollins, 2011).

48. Elena Harwood and Nancy Kocovski, "Self-Compassion Induction Reduces Anticipatory Anxiety Among Socially Anxious Students," *Mindfulness* 8, no.1 (2017):pp.1544-1551.

49. Caroline Webb, *How to Have a Good Day: Harness the Power of Behavioral Science to Transform Your Working Life* (United Kingdom: Macmillan, 2016).

50. Caroline Webb, "How to Nail the Q&A After Your Presentation," *Harvard Business Review* (2020).
https://hbr.org/2020/01/how-to-nail-the-qa-after-your-presentation

51. 下記より著者訳。
Frederic Luskin, *Forgive for Good: A Proven Prescription for Health and Happiness* (New York: HarperCollins, 2003).

52. 下記より著者訳。
Sonja Lyubomirsky, *The How of Happiness:A New Approach to Getting the Life You Want* (USA: Penguin Books, 2008).

53. Daniel Kahneman and Angus Deaton, "High Income Improves Evaluation of Life but not Emotional Well-being," *PNAS* 107,no.38 (2010):pp.16489-16493.

37. Arthur Aron et al., "The Experimental Generation of Interpersonal Closeness: A Procedure and Some Preliminary Findings," *Personality and Social Psychology Bulletin* 23, no.4 (1997):pp.363-377.

38. 「36の質問」は上記37の文献より著者訳。

39. Francesca Gino, "Cracking the Code of Sustained Collaboration," *Harvard Business Review* (2019).
https://hbr.org/2019/11/cracking-the-code-of-sustained-collaboration

40. 下記など参照。
Michael Mount, Timothy Judge, Steven Scullen, Marcia Sytsma, and Sarah Hezlett, "Trait, Rater and Level Effects in 360-Degree Performance Ratings," *Personnel Psychology* 51, no.3 (1998):pp.557-576.
Steven Scullen, Michael Mount, and Maynard Goff, "Understanding the Latent Structure of Job Performance Ratings," *Journal of Applied Psychology* 85, no.6 (2000):pp.956-970.
Brian Hoffman, Charles Lance, Bethany Bynum, and William Gentry, "Rater Source Effects Are Alive and Well After All," *Personnel Psychology* 63, no.1 (2010):pp.119-151.

41. Robert Emmons, *Thanks!: How Practicing Gratitude Can Make You Happier* (USA: Mariner Books, 2008).

42. Robert Emmons, "Why Gratitude is Good," *Greater Good Magazine* (2010).
https://greatergood.berkeley.edu/article/item/why_gratitude_is_good

43. Aaron Lazare, *On Apology* (New York: Oxford University Press, 2004).

44. 総務省統計局『世界の統計2020』。
https://www.stat.go.jp/data/sekai/0116.html

Thought. 10th rev. and enl. ed. (New York: G.P.Putnam, 1905).

27. 本項は、土田健次郎著『儒教入門』(東京大学出版会、2011年)を参照。

28. David Hume, David F. Norton, and Mary J. Norton, *A Treatise of Human Nature* (Oxford: Oxford University Press, 2000).

29. カント著『実践理性批判』(波多野精一・宮本和吉・篠田英雄訳、岩波文庫、1979年)。

30. 下記より著者訳。
Jonathan Haidt, *The Happiness Hypothesis: Finding Modern Truth in Ancient Wisdom* (New York: Basic Books, 2006).

31. 同上。

32. Beth Lown, Julie Rosen, and John Marttila, "An Agenda For Improving Compassionate Care: A Survey Shows About Half Of Patients Say Such Care Is Missing," *Health Affairs* 30, no.9 (2011): pp.1772-1778.

33. Kathryn Pollak et al., "Oncologist Communication About Emotion During Visits With Patients With Advanced Cancer," *Journal of Clinical Oncology* 25, no.36 (2007):pp.5748-5752.

34. David Rakel et al., "Perception of Empathy in the Therapeutic Encounter: Effects on the Common Cold," *Patient Education and Counseling* 85, no.3(2011):pp.390-397.

35. Ezequiel Gleichgerrcht and Jean Decety, "Empathy in Clinical Practice: How Individual Dispositions, Gender, and Experience Moderate Empathic Concern, Burnout, and Emotional Distress in Physicians." *PLoS One* 8, no.4 (2013):e61526.

36. Helen Weng et al., "Compassion Training Alters Altruism and Neural Responses to Suffering," *Psychological Science* 24, no.7 (2013):pp.1171-1180.

17. ヴィラヤヌル・ラマチャンドラン教授「TEDIndia2009」より著者訳。
https://www.ted.com/talks/vilayanur_ramachandran_the_neurons_that_shaped_civilization/transcript

18. 下記より著者訳。
Dacher Keltner, "The Compassionate Species," *Greater Good Magazine* (2012).
https://greatergood.berkeley.edu/article/item/the_compassionate_species

19. 山本七平著『「空気」の研究』(文春文庫、1983年)。

20. Jodi Clarke, "What It Means to Be Egocentric" Verywell Mind, 2019.
https://www.verywellmind.com/what-does-it-mean-to-be-egocentric-4164279

21. Kevyn Yong, Stephen Sauer, and Elizabeth Mannix, "Conflict and Creativity in Interdisciplinary Teams," *Small Group Research* 45, no.3 (2014):pp.266-289.

22. Rob Cross, Reb Rebele and Adam Grant, "Collaborative Overload," *Harvard Business Review* (2016).
https://hbr.org/2016/01/collaborative-overload

23. 本項ダライ・ラマのコメントは以下講演より著者訳。
http://ccare.stanford.edu/videos/centrality-of-compassion-in-human-life-and-society-2/

24. ローマ教皇のTEDトークより著者訳。
https://www.ted.com/talks/his_holiness_pope_francis_why_the_only_future_worth_building_includes_everyone?language=en

25. 同上。

26. 以上の源平合戦のストーリーは、下記の記述をもとにした著者による創作。その他、本項の言及する『武士道』からの記述も本文献より。
Inazo Nitobe, *Bushido, the Soul of Japan: An Exposition of Japanese*

Evolutionary Hypotheses Tested in 37 Cultures," *Behavioral and Brain Sciences* 12, no.1 (1989):pp.1-14.

10. 下記より著者訳。

Emma Seppala, "Compassionate Mind, Healthy Body," *Greater Good Magazine* (2013).

https://greatergood.berkeley.edu/article/item/compassionate_mind_healthy_body

11. Stephanie Brown, Randolph Nesse, Amiram Vinokur, and Dylan Smith "Providing Social Support May Be More Beneficial Than Receiving It: Results From a Prospective Study of Mortality," *Psychological Science* 14, no.4 (2003):pp.320-327.

12. Sara Konrath, Andrea Fuhrel-Forbis, Alina Lou, and Stephanie Brown, "Motives for Volunteering Are Associated With Mortality Risk in Older Adults," *Health Psychology* 31, no.1 (2012):pp.87-96.

13. Elizabeth A Hoge et al., "Loving-Kindness Meditation Practice Associated With Longer Telomeres in Women," *Brain Behavior and Immunity* 32 (2013):pp.159-163.

14. 本段落と前段落の研究結果は下記より。

Julianne Holt-Lunstad, Timothy Smith, and Bradley Layton, "Social Relationships and Mortality Risk: A Meta-analytic Review," *PLoS Med* 7, no.7(2010): e1000316.

15. 下記より著者訳。

Charles Darwin, *On The Origin of Species by Means of Natural Selection,or The Preservation of Favoured Races in the Struggle for Life* (London :John Murray,1859).

16. 下記より著者訳。

Richard Dawkins, *The Selfish Gene* (New York : Oxford University Press, 1978).

参考文献

1. 2014年スタンフォード大学卒業式式辞より著者訳。
https://news.stanford.edu/news/2014/june/gates-commencement-remarks-061514.html

2. 2006年ノースウェスタン大学卒業式式辞より著者訳。
https://www.northwestern.edu/newscenter/stories/2006/06/barack.html

3. 2017年マサチューセッツ工科大学卒業式式辞より著者訳。
https://qz.com/1002570/watch-live-apple-ceo-tim-cook-delivers-mits-2017-commencement-speech/

4. Morning Futureの記事 "Satya Nadella: when empathy is good for business" より著者訳。
https://www.morningfuture.com/en/article/2018/06/18/microsoft-satya-nadella-empathy-business-management/337/

5. Inc.の記事 "Instagram Co-Founder on How to Design a Great Product" より著者訳。
https://www.inc.com/daphne-koller/instagram-s-mike-krieger-is-your-tech-company-bringing-people-joy.html

6. Henry Ford and Samuel Crowther, *My Life and Work* (London: William Heinemann, Ltd., 2008).

7. Jim Collins, *Good to Great: Why Some Companies Make the Leap... and Others Don't* (New York: HarperCollins, 2001).

8. Mitch Prinstein, *Popular: Finding Happiness and Success in a World That Cares Too Much About the Wrong Kinds of Relationships* (USA: Penguin Books, 2017).

9. David Buss, "Sex Differences in Human Mate Preferences:

巻末プレミアム・エクササイズ

一人でも、ビギナーでもOK！

本書で紹介した最新科学に基づくプレミアム・エクササイズをやってみましょう。
やり方はいたって簡単。一人でも、ビギナーでも、誰でもすぐに始められます。
第3講で見た「生き抜く力」の基本要素は「聞き取る力」「共感する力」「与える力」でした。
まずは、「アクティブ・リスニング」で第1要素の「聞き取る力」を身につけましょう。

★【ビギナー編1】
★【ビギナー編2】
★【腕試し編】
★【プロ編】

各エクササイズを自分のレベルに合わせて始めてみてください。

次に、スタンフォード大学とカリフォルニア大学バークレー校（UCバークレー）の最新科学で、「生き抜く力」の第2要素「共感する力」と第3要素「与える力」を磨きましょう。

★ スタンフォード式「思いやり瞑想」
★ UCバークレー式「似ているところのリストづくり」

最後に、第4〜5講で触れた「生き抜く力」の応用編、「コラボ力」「コミュニケーション力」アップに欠かせない、ストレスマネジメントのスキルも身につけます。

★ 1回5分！「自分いたわりブレイク」
★「自分をいたわる手紙エクササイズ」でプレゼンの緊張を克服
★ どんなときも心が落ち着く！ ラスキン式「PERT法」

このプレミアム・エクササイズで、あなたのDNAにプログラムされている「スタンフォード式生き抜く力（The Power to Survive）」を目覚めさせましょう！

それでは、「アクティブ・リスニング」の基本形（→88ページ）を使って、自分のレベルに合ったトレーニングをしていきましょう。

「アクティブ・リスニング」の基本

ビギナー編１
一人で始めてみる

「聞き取る力」を早くつけたい、手っ取り早く始めたい方におすすめ。

週に２～３回でいいので、テレビやインターネットなどで、視聴者に語りかけてくる動画を見つけてください。

ニュースや解説番組、好みのタレントがエピソードを話す動画など、どんなものでもかまいません。５～10分ほどで、自分が興味を持った内容や、学びたい内容がいいでしょう。

その動画を見ながら、パラフレーズ、クエスチョン、エンパシー、フォーカスの４つの「DO」（→89～93ページ）を試してみましょう。

まずは集中して動画の話を聞きましょう。

１～２分聞いて、きりのよいところで動画を止めて、動画上の相手に話しかけるつもりでコメントします。

相手の話をまとめてパラフレーズしてみたり、わかりにくいところを質問してみたり、共感を示すコメントを実際に口に出していってみたりしましょう。

もちろん、「DON'T」（→93ページ）も意識してコメントしなければなりません。

実際の会話のつもりで、簡潔にコメントして、終わったら、すぐに動画を再開して、「ひとしきり聞いてコメント」を繰り返していきます。

もちろん動画上の話し手は、あなたの話を聞いていないので、あなたのコメントに反応してはくれません。それでも、相手の話を聞くときに、正

しい発話につなげる練習に効果的です。

また、余裕があれば、この「一人『アクティブ・リスニング』練習」を録画し、自分で見てみるのもおすすめです。

自分のコメントが適切かどうか。「DON'T」をしていないか。確認して、改善点を見つけていくことができます。

「アクティブ・リスニング」の基本

ビギナー編 2

親しい人と「一つだけ」

もう一つの【ビギナー編】は、会話の実践練習です。

週1～2回でいいので、話し相手に友人や家族など親しい人を選び、リラックスして話せる環境をつくりましょう。

それから、相手に今考えていることや感じていることを話してもらいます。どんなことでもかまいません。

最初から「DO」(→89ページ)と「DON'T」(→93ページ)のすべてを意識しようとせず、それぞれ一つだけ選んでみてください。

たとえば、今回は「DO」から「エンパシー」だけを意識しよう。「DON'T」から「アドバイスする」だけは避けよう、といった具合です。

その次に、10分ほど「聞き手」として会話をしてみます。

会話後に、自分が目標にしていた点を、相手はどう感じたか聞いてみましょう。

「エンパシー」と「アドバイスを避ける」が目標なら、「共感は感じられたか?」「アドバイスしなかったか?」と相手に問いかけ、フィードバックをもらってください。

可能なら、もう1ラウンドやってみます。今度は自分が「話し手」になり、自分の話を相手に聞いてもらいます。

そうすることで「話し手」の立場から自分がどう感じるかを体感できます。相手に自分が「聞き手」側だったときと同じ目標設定をしてもらい、今度は自分が「話し手」として、どう感じるかを体験するのです。

「アクティブ・リスニング」の基本

腕試し編

職場の人と「複数同時に」

【ビギナー編】に慣れてきたら、会話相手に、職場の人や知人を選んでください。

友人や家族ほど親しくないけれども、そこまで気を張る必要もない人たちがおすすめです。

前もって「『アクティブ・リスニング』の練習をしたいので」と伝えられればいいですが、伝えずに普通の会話の中でこっそり実験し、相手の反応を聞くのもOKです。【ビギナー編2】と同じく週1～2回やってみると徐々に慣れてきます。

ここでは「DO」と「DON'T」カテゴリのそれぞれから**「複数」の目標**を選んでみましょう。

はじめは2つずつ、慣れてきたら3つずつ、4つずつ会話の中に意識する数を増やしながら話してみます。

可能であれば、会話後にフィードバックをもらってください。

前もって「アクティブ・リスニング」のトレーニングと伝えている際は、相手がどう思ったか率直に意見を聞いてみましょう。そのときに、「パラフレーズを心がけていたのですが、どう思いましたか？」と自分が「DO」と「DON'T」に選んだ点を伝え、評価してもらってください。

相手にトレーニング中だと伝えていない際は、目標がどの程度達成できたかを、会話後に冷静に振り返ってみましょう。

その達成度合によって、次の目標を立ててみてください。

プロ編

「アクティブ・リスニング」の基本

親しくない人と「面談・ミーティング時に」実践

【ビギナー編】【腕試し編】と徐々に慣れてきたら、今度は【プロ編】です。

あまり親しくない人たちを会話相手に選び、こっそり「アクティブ・リスニング」を取り込んでいきます。

あらかじめ予定されている面談やミーティングの前に、実践する「アクティブ・リスニング」の目標を自分で立てます。

会話が終わったら、「DO」と「DON'T」の全項目をチェックし、次回の「アクティブ・リスニング」の改善点を考えます。さすがにすべての会話ではやれないので、こちらも週1～2回、継続していくと徐々に慣れてきます。

スタンフォード式「思いやり瞑想」

次の瞑想スクリプトを通して、スタンフォード式「思いやり瞑想」（→95ページ）を行います。週1～2回程度から試してみましょう。

録音済の音声を使うのがおすすめです。私の公式サイト、https://tomohirohoshi.com/で無料アクセスできます。

また、友人や家族に読んでもらったり、自分で録音したものを聞いたりしてもOK。

その場合は、ゆっくりしたペースで、ささやくようなやわらかいトーンで、読みましょう。

それぞれの句点「。」ごとに、3秒くらい間隔をあけて読みます。段落替えのところは5秒くらいあけます。各セクションに時間が割り当てられているので参考にしてみてください。全部で15分程度かけて行いましょう。

【オープニング】(約1分)

「思いやり瞑想」を始めましょう。

まず、目を閉じ、心地よい形で座ってください。

腰をしっかりおろし、背筋をまっすぐにします。

肩の力を抜いて、全身をリラックスさせましょう。

目を閉じたまま思い描いてください。

気持ちを自分の心の奥に向けましょう。

無理に集中しようとしないで、リラックスした気持ちで、ストレスなく瞑想してみましょう。

大きく息を吸って。ゆっくり吐いて。

【思いを受け取る】(2〜3分)

目を閉じたまま、あなたのことをとても大切に思っている親しい人をイメージしてください。

現在や過去の人、生きていてもいなくてもかまいません。

その人があなたの右側に立ち、あなたのことをいとおしく、大切に思っていることを思い描いてください。

その人は、あなたの安全、健康、幸せを願っています。

その人の願いと思いやりが、あなたに向かって流れ込んでくるのをイメージしましょう。

次に、もう一人、あなたを大切に思っている人を想像してください。

その人があなたの左側に立って、あなたの安全、健康、幸せを願っています。

その人の思いやりとあたたかさが、あなたに向かって流れ込んでくるのをイメージしましょう。

今度は、あなたを大切に思っている人や、過去に大切に思ってくれたすべての人たちが、あなたのまわりを取り囲んでいるのを想像してください。

あなたの友人やあなたが大切に思っている人たちもみんな、まわりにいることをイメージします。

そのすべての人たちが、あなたの安全、健康、幸せを願っているのです。

そして、すべての方向からくる、あたたかい願いと思いやりの中に浸ってみてください。

あなたは、あふれ出すあたたかさと思いやりに満たされています。


【大切な人たちに思いを送る】(4〜5分)

次に、あなたの右側に立っていた人に意識を戻しましょう。

今度はあなた側からその人へ、思いやりの心を送り返してあげてください。

あなたもその人も、同じように、幸せでいることを願っているのです。

あなたの思いやりの心と、あたたかな願いのすべてを、その人に送ってあげてください。

そして、次のフレーズを心の中で繰り返してください。


「あなたが、安心でいられますように。幸せでいられますように。苦しみなくすごしていけますように」

「あなたが、安心でいられますように。幸せでいられますように。苦しみなくすごしていけますように」

「あなたが、安心でいられますように。幸せでいられますように。苦しみなくすごしていけますように」


今度は、あなたの左側に立っていた人に視線を向けましょう。

その人への思いを、あなたからその人に向けて発信してみてください。

あなたのその人への思いとあたたかさのすべてを、その人に送ります。

その人もあなたも、よい人生をすごすことを願っているのです。

そして、次のフレーズを心の中で繰り返してください。


「私が自分に望んでいるように、あなたも安心で幸せに苦しみなく生きていけますように」

「私が自分に望んでいるように、あなたも安心で幸せに苦しみなく生きていけますように」

「私が自分に望んでいるように、あなたも安心で幸せに苦しみなく生きていけますように」


次に、親友や家族など、もう一人、あなたが大切に思っている人を思い浮かべてください。

その人もあなたと同じように、幸せな人生を歩んでいくことを望んでいます。

その人にあなたのやさしい願いを送ってあげましょう。

そして、次のフレーズをその人のために、心の中で繰り返してください。


「あなたの人生が、幸せと、健康にあふれますように」

「あなたの人生が、幸せと、健康にあふれますように」

「あなたの人生が、幸せと、健康にあふれますように」

【知らない人たちに思いを送る】（３～４分）

次に、どこかで見かけた人で、あなたがよく知らず、特に何の思いも持っていない人をイメージしてみましょう。

その人もあなたも同じように、よい人生をすごしていきたいと思っています。

そして、その人がよい人生をすごせるように願い、次のフレーズを心の中で繰り返しましょう。


「私が自分に願うように、あなたも安心で幸せに生きられますように」

「私が自分に願うように、あなたも安心で幸せに生きられますように」

「私が自分に願うように、あなたも安心で幸せに生きられますように」


もう一人、今までに見かけた人で、あなたがなんとも思っていない人を思い浮かべてください。

お隣の人、同僚など誰でもいいので、あなたがあまりよく知らない人をイメージしてください。

あなたもその人も、よい人生をすごして喜びを感じたいと願っています。

そして、その人のことを思い、次のフレーズを心の中で繰り返してください。


「あなたが、幸せでありますように。健康でありますように。苦しみを避けられますように」

「あなたが、幸せでありますように。健康でありますように。苦しみを避けられますように」

「あなたが、幸せでありますように。健康でありますように。苦しみを避けられますように」

【すべてに思いを送る】(2〜3分)

最後に、あなたの意識を最大限に広げて、地球全体を、あなたの目の前に浮かんでいる小さなボールとしてイメージしてみてください。

地球上のすべての生き物が、あなた同様、幸せを願っています。

あなたのやさしい願いを彼らに届けてあげましょう。

次のフレーズを心の中で繰り返してください。


「私が自分自身に願うように、あなたたちも、安心で、幸せで、健康にすごせますように」

「私が自分自身に願うように、あなたたちも、安心で、幸せで、健康にすごせますように」

「私が自分自身に願うように、あなたたちも、安心で、幸せで、健康にすごせますように」


深く息を吸ってください。

ゆっくりと吐き出してください。

もう一度、深呼吸をしてください。

そして、あなたの心の状態を感じ取り、今どのように感じているかを意識してみてください。

準備ができたら、ゆっくり目を開けてください。

UCバークレー式「似ているところのリストづくり」

「共感する力」のトレーニングで重要なのは、「自分以外の人たちも自分と同じように感じたり考えたりする人間だ」ということを改めて意識することにあります。

そのために効果的なエクササイズに、カリフォルニア大学バークレー校

(UCバークレー）の「よりよい人生センター」の提唱する「似ているところのリストづくり」（Shared Identity）を紹介します。[65]

1．ここ最近、「自分と違うな」と感じた人を思い浮かべてください。前にケンカをしたり、トラブルに遭ったりした人でもかまいません。
その「自分とは違う」という実感から始め、自分とどう違うかをいろいろな角度から想像してみてください。

その人のことをそんなに知らないかもしれませんが、それでもかまわないので、感じ方、考え方、趣味、性格、職業、いろいろな点をイメージしましょう。

2．次に、今度は、自分とその人が似ている点を想像し、箇条書きにしてください。
「同じ会社で働いている」「子どもがいる」「同じ国籍」など、どんなことでもかまいません。その人をほとんど知らない場合は、推測でもかまいません。

「人生のどこかで挫折した」「以前、大切な人がいた」など誰しもが経験することを想像してください。私たちはみんな同じ人間で、99.9％、遺伝子的には同じことを意識しましょう。

3．この「類似点リスト」を見ながら、その人をもう一度思い起こしてみてください。
いったん、自分とは違う人、自分のグループ外の人、嫌な人という視点は横に置き、同じ人間として重なる部分にフォーカスします。

そうすると、趣味や経験などあなたと似通った箇所が思った以上にあるかもしれません。

このエクササイズに慣れてきて、もうちょっとやってみてもいいかなと思えたら、先ほどの「スタンフォード式『思いやり瞑想』」をやってみましょう。

1回5分！「自分いたわりブレイク」

寝る前や仕事の休憩中など、リラックスした環境で次の４つのステップを、１回５分でやってみましょう。毎日やれたらベストですが、週１回でも効果があります。


録音済の音声ガイダンスでやってみるのがおすすめです。

私の公式サイト、https://tomohirohoshi.com/で無料アクセスできます。

ネフ准教授自身のウェブサイトで英語版にもアクセスできます。[66]

1. 苦しみやストレスを呼び起こす

人との会話でストレスを感じたことを思い出してみてください。

非難された、緊張しすぎた、恥をかいたなど、どんな場面でもかまいません。

いつ起きたことでしょう？

何が起きたのでしょう？

どうしてそれが起きたのでしょう？

あなたや他の人たちはどのように感じたのでしょう？

その状況と感じた気持ちを心の中で詳細に再現してみます。

2. マインドフルネス

自分の気持ちを受け入れます。「今は苦しいときなのだ」と心の中でいってみてください。「ストレスがたまる」「緊張する」など

なんでもいいので、今、あなたが感じている痛みをそのまま心の中でいってみましょう。

今、自分が感じている痛みを素直に自分の中で認めるのです。

3. 人の不完全性

人はみんな同じです。そのうえで「苦しみやストレスは人生の一部だ」と心の中でいってみてください。それから「誰だって同じように感じるはずだ」「人生でつらいことなんていくらでもある」と、つらさやストレスを感じるのは人間としてごく自然なことだと、心の中でいってみましょう。

4. 自分へのやさしさ

自分をいたわる心を持ちましょう。自分の胸に手を当て、自分の手のあたたかさをゆっくり感じてみてください。そして「自分にやさしくあろう」と心の中でいってみてください。

それから「自分をラクにしてあげよう」「クヨクヨすることはない」「強いから大丈夫」と自分にやさしい言葉を思い浮かべ、心の中でいってみましょう。


この「1回5分！『自分いたわりブレイク』」は、コミュニケーション以外でも有効です。

何か苦しいことやつらいことがあったときは、ぜひやってみて効果を実感してみてください。

「自分をいたわる手紙エクササイズ」でプレゼンの緊張を克服

緊張を強いられるプレゼンやスピーチを予定しているとき、15分以上かけてじっくりやってみると効果的です。プレゼンがないときでも、定期的に週１回、最低でも月１回やってみましょう。

１．以前うまくいかなかったプレゼンやスピーチを思い浮かべてください。緊張した、恥ずかしかった、傷ついたなど、そのときの感情を正直に紙に書きます。

２．「自分をいたわる手紙」を書きましょう。

　ａ．あなたのことを無条件に受け入れてくれる人を思い浮かべてください。現実でも空想でもかまいません。その人になりきって書いてください。

　ｂ．その人は以前のプレゼンを苦しみに感じてしまったあなたをいたわり、何といってくれますか？　その人になりきって、自分にやさしい言葉をかけましょう。

　ｃ．誰だってネガティブに考えたり、自分のいたらない欠点が嫌になったりするものです。それを正直に伝えながら、自分を励ます言葉をかけてください。どれだけ多くの人が同じ悩みを抱えているかも伝えましょう。

　ｄ．世の中は自分の力でコントロールできないことばかりです。自分の生い立ちやDNAも自分でコントロールできません。以前のプレゼンがうまくいかない理由にも、自分でコントロールできなかった点があるはずです。その理由を挙げ、あなたが自分を責めないように励ましましょう。

　ｅ．次回のプレゼンやスピーチで改善できることがあれば、自分

を責めたり追い詰めたりしない範囲で、アドバイスしてあげましょう。自分が変わることで、より高い充実感を得られることを伝えてあげます。

3．以上、1と2で書いたものを、1週間後か、プレゼンかスピーチの前日に、読み返してみましょう。

こちらのエクササイズは、先ほど「自分いたわりブレイク」で紹介した、ネフ准教授のウェブサイトで英語版（https://self-compassion.org/）にもアクセス可能です。

どんなときも心が落ち着く！ ラスキン式「PERT法」

スタンフォード大学のラスキン准教授がすすめる「PERT法」[67]（→197ページ）は、怒りやストレスで心が動揺したり、人間関係で落ち込んだりしたときに効果的です。

1．ゆっくりと2回、深呼吸します。深呼吸しながら、お腹の動きに意識を集中します。息を吸うときにお腹をやさしく膨らませ、息を吐くときにお腹をゆっくりリラックスさせましょう。

2．3回目の深呼吸のときに、あなたの大切な人や、美しい自然の風景を心に浮かべます。心臓あたりに自分のポジティブな感情が集まっているようなイメージを抱くと、より強い効果が現れます。

3．何度か深呼吸を続けてください。お腹の動きを意識したやさしい深呼吸を心がけましょう。

4．少しリラックスして平穏な心を感じたら、悩みを解決するのに何ができるかちょっとだけ考えてみましょう。

「PERT法」も定期的にやることで、気が動転したときに心を落ち着かせる効果が期待できます。

[著者]
星 友啓（Tomohiro Hoshi）
スタンフォード大学・オンラインハイスクール校長。経営者、教育者、論理学者。
1977年生まれ。スタンフォード大学哲学博士。東京大学文学部思想文化学科哲学専修課程卒業。
教育テクノロジーとオンライン教育の世界的リーダーとして活躍。コロナ禍でリモート化が急務の世界の教育界で、のべ50か国・2万人以上の教育者を支援。スタンフォード大学のリーダーの一員として、同大学のオンライン化も牽引した。
スタンフォード大学哲学部で博士号取得後、講師を経て同大学内にオンラインハイスクールを立ち上げるプロジェクトに参加。オンラインにもかかわらず、同校を近年全米トップ10の常連に、2020年には全米の大学進学校1位にまで押し上げる。
世界30か国、全米48州から900人の天才児たちを集め、世界屈指の大学から選りすぐりの学術･教育のエキスパートが100人体制でサポート。設立15年目。反転授業を取り入れ、世界トップのクオリティ教育を実現させたことで、アメリカのみならず世界の教育界で大きな注目を集める。本書が初の著書。

【著者公式サイト】（最新情報やブログを配信中）
https://tomohirohoshi.com/

スタンフォード式生き抜く力

2020年9月15日　第1刷発行
2020年10月2日　第2刷発行

著　者――――星 友啓
発行所――――ダイヤモンド社
〒150-8409　東京都渋谷区神宮前6-12-17
https://www.diamond.co.jp/
電話／03･5778･7233（編集）　03･5778･7240（販売）
装丁――――――山影麻奈
本文デザイン――布施育哉
校正――――――加藤義廣、宮川 咲
本文DTP・製作進行―ダイヤモンド・グラフィック社
印刷・製本―――勇進印刷
編集担当――――寺田庸二

ISBN 978-4-478-11066-9